4 학년이 꼭 ✔ 알아야 한

KB059961

사고력 연산

밑줄짝!

저자
왕수학연구소장 **박명전**

- 기초 연산 능력 증진
- 사고를 통한 연산 능력 증진
- 사고력과 연산 능력 향상의 이중 효과

4학년이 꼭 ✓ 알아야 한 사고력연산

사고력연산 구성

◎ 1~2학년은 각각 1권씩, 3~6학년은 각각 2권씩으로 구성되어 있습니다.

◎ **개념** 연산의 기초개념과 원리를 다루었습니다.

◎ (사고력 기르기) **Step 1** 약간의 사고를 필요로 하는 연산 문제를 다루었습니다.

◎ (사고력 기르기) **Step 2** 좀 더 발전적인 사고를 필요로 하는 연산 문제를 다루었습니다.

◎ (실력 점검) 한 단원을 마무리하는 문제를 다루었습니다.

사고력연산 특징

● 연산의 원리를 알고 계산할 수 있도록 구성하였습니다.

● 기초 연산 능력을 충분히 키울 수 있도록 구성하였습니다.

● 연산 능력과 사고력 향상이 동시에 이루어질 수 있는 문제를 다루었습니다.

● 사고를 통해 연산을 하는 과정에서 연산 능력이 저절로 향상될 수 있도록 구성하였습니다.

Contents

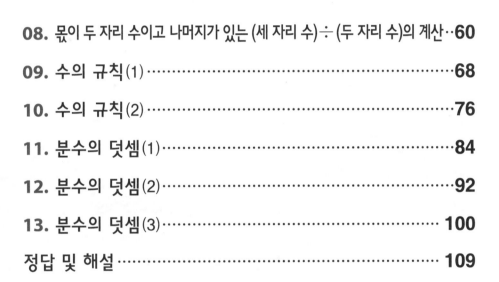

01 (세 자리 수) × (몇십)의 계산

- (몇백) × (몇십)은 (몇) × (몇)의 값에 두 수의 0의 개수만큼 0을 붙입니다.

0이 3개

$$200 \times 30 = 6000$$

$2 \times 3 = 6$

$$\begin{array}{r} 200 \\ \times \quad 30 \\ \hline 6000 \end{array}$$

- (세 자리 수) × (몇십)은 (세 자리 수) × (몇)을 계산한 후 0을 1개 붙입니다.

$$123 \times 3 = 369$$
$$123 \times 30 = 3690$$

10배

$$\begin{array}{r} 123 \\ \times \quad 3 \\ \hline 369 \end{array} \qquad \begin{array}{r} 123 \\ \times \quad 30 \\ \hline 3690 \end{array}$$

10배

□ 안에 알맞은 수를 써넣으시오. (01~06)

01 $400 \times 20 = 8\boxed{}$

0이 $\boxed{}$ 개

02 $700 \times 40 = 28\boxed{}$

0이 $\boxed{}$ 개

03 $240 \times 30 = \boxed{}0$

$240 \times 3 = \boxed{}$

04 $180 \times 50 = \boxed{}0$

$180 \times 5 = \boxed{}$

05 $235 \times 40 = \boxed{}0$

$235 \times 4 = \boxed{}$

06 $317 \times 60 = \boxed{}0$

$317 \times 6 = \boxed{}$

□ 안에 알맞은 수를 써넣으시오. (07~08)

07 140×6= ☐   ↘ ☐ 배
       140×60= ☐

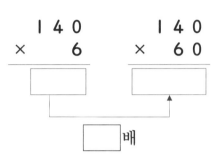

08 213×4= ☐   ↘ ☐ 배
       213×40= ☐

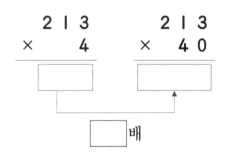

 계산을 하시오. (09~26)

| 09 | 400 × 20 | 10 | 600 × 40 | 11 | 800 × 30 |

| 12 | 180 × 30 | 13 | 370 × 20 | 14 | 580 × 40 |

| 15 | 247 × 50 | 16 | 720 × 20 | 17 | 475 × 30 |

18 700×50   **19** 800×80   **20** 600×50

21 280×70   **22** 190×80   **23** 340×20

24 642×30   **25** 675×40   **26** 327×40

사고력 기르기

 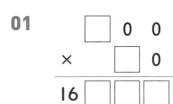 □ 안에 숫자를 써넣어 여러 가지 곱셈식을 만들어 보시오. (01~05)

01

```
    □ 0 0              □ 0 0              □ 0 0
  ×   □ 0            ×   □ 0            ×   □ 0
  ─────────          ─────────          ─────────
  16 □ □ □           16 □ □ □           16 □ □ □
```

02

```
    3 4 0              3 4 0              3 4 0
  ×   □ 0            ×   □ 0            ×   □ 0
  ─────────          ─────────          ─────────
  1 □ □ □ □          1 □ □ □ □          1 □ □ □ □
```

03

```
    4 2 0              4 2 0              4 2 0
  ×   □ 0            ×   □ 0            ×   □ 0
  ─────────          ─────────          ─────────
  2 □ □ □ □          2 □ □ □ □          2 □ □ □ □
```

04

```
    5 2 4              5 2 4
  ×   □ 0            ×   □ 0
  ─────────          ─────────
  2 □ □ □ □          2 □ □ □ □
```

05

```
    7 5 6              7 5 6
  ×   □ 0            ×   □ 0
  ─────────          ─────────
  3 □ □ □ □          3 □ □ □ □
```

주어진 식에서 ♥가 될 수 있는 숫자를 모두 구하시오. (06~10)

06 $200 \times ♥0 > 10000$ (   )

07 $300 \times ♥0 < 20000$ (   )

08 $560 \times ♥0 > 30000$ (   )

09 $♥35 \times 40 > 20000$ (   )

10 $♥12 \times 50 < 25000$ (   )

11 □ 안에 숫자를 써넣어 주어진 식을 성립시키는 여러 가지 곱셈식을 만들어 보시오.

$$♥00 \times ☆0 = △0000$$

☐00 × ☐0 = ☐0000   ☐00 × ☐0 = ☐0000

☐00 × ☐0 = ☐0000   ☐00 × ☐0 = ☐0000

☐00 × ☐0 = ☐0000   ☐00 × ☐0 = ☐0000

☐00 × ☐0 = ☐0000   ☐00 × ☐0 = ☐0000

 주어진 두 식을 모두 만족하는 한 자리 수 ♥를 있는대로 구하시오. (01~03)

01 | $370 × ♥0 > 20000$ $250 × ♥0 < 20000$ | (   )

02 | $482 × ♥0 > 24000$ $625 × ♥0 < 50000$ | (   )

03 | $♥58 × 70 < 40000$ $♥24 × 60 > 18000$ | (   )

 보기 의 방법대로 여러 가지 곱셈식을 만들어 보시오. (04~05)

보기

왼쪽의 곱셈식에서 ♥, ☆, ▲, ■ 가 서로 다른 숫자일 때 조건을 만족하는 곱셈식은 다음과 같습니다.

$$\begin{array}{r} 4\ 6\ 0 \\ \times\quad 5\ 0 \\ \hline 2\ 3\ 0\ 0\ 0 \end{array} \qquad \begin{array}{r} 4\ 8\ 0 \\ \times\quad 5\ 0 \\ \hline 2\ 4\ 0\ 0\ 0 \end{array}$$

04

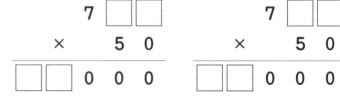

05

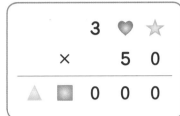

		3	♥	★
×			5	0
▲	■	0	0	0

		3	☐	☐
×			5	0
☐	☐	0	0	0

		3	☐	☐
×			5	0
☐	☐	0	0	0

		3	☐	☐
×			5	0
☐	☐	0	0	0

		3	☐	
×			5	0
☐	☐	0	0	0

 보기 를 참고하여 주어진 수들의 합을 구하시오. (06~08)

보기

11	12	13	14
21	22	23	24
31	32	33	34

차가 일정한 규칙적인 수의 배열
에서 주어진 수가 짝수개일 때의
합은 {(가장 작은 수)＋(가장 큰
수)}×(수의 개수)÷2로 구할 수
있습니다.
$(11＋34)×12÷2=45×6$
$\qquad\qquad\qquad =270$

06

101	102	103	104	105
201	202	203	204	205
301	302	303	304	305
401	402	403	404	405

(   )

07

101	102	⋯⋯	109	110
201	202	⋯⋯	209	210
301	302	⋯⋯	309	310
401	402	⋯⋯	409	410
501	502	⋯⋯	509	510
601	602	⋯⋯	609	610

(   )

08

101	103	105	107	109
201	203	205	207	209
⋮	⋮	⋮	⋮	⋮
701	703	705	707	709
801	803	805	807	809

(   )

 □ 안에 알맞은 수를 써넣으시오. (01~04)

01 $500 \times 70 = 35$ ☐

0이 ☐ 개

02 $600 \times 30 = 18$ ☐

0이 ☐ 개

03 $125 \times 3 =$ ☐
$125 \times 30 =$ ☐ ☐ 배

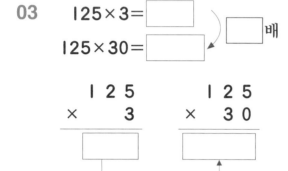

```
    1 2 5          1 2 5
  ×     3        ×   3 0
  -------        -------
  [      ]       [        ]
```

☐ 배

04 $427 \times 2 =$ ☐
$427 \times 20 =$ ☐ ☐ 배

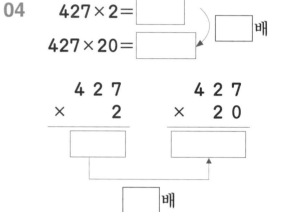

```
    4 2 7          4 2 7
  ×     2        ×   2 0
  -------        -------
  [      ]       [        ]
```

☐ 배

 계산을 하시오. (05~16)

05
```
    3 0 0
  ×   7 0
```

06
```
    2 0 0
  ×   9 0
```

07
```
    3 5 0
  ×   2 0
```

08
```
    2 4 6
  ×   4 0
```

09
```
    1 8 7
  ×   3 0
```

10
```
    4 2 5
  ×   4 0
```

11 400×90

12 500×80

13 620×20

14 268×40

15 317×50

16 264×70

 □ 안에 숫자를 써넣어 여러 가지 곱셈식을 만들어 보시오. (17~18)

17

$$\begin{array}{r} \boxed{}\,0\,0 \\ \times\ \boxed{}\,0 \\ \hline 36\,\boxed{}\,\boxed{}\,\boxed{} \end{array}$$

$$\begin{array}{r} \boxed{}\,0\,0 \\ \times\ \boxed{}\,0 \\ \hline 36\,\boxed{}\,\boxed{}\,\boxed{} \end{array}$$

$$\begin{array}{r} \boxed{}\,0\,0 \\ \times\ \boxed{}\,0 \\ \hline 36\,\boxed{}\,\boxed{}\,\boxed{} \end{array}$$

18

$$\begin{array}{r} 3\,7\,0 \\ \times\ \boxed{}\,0 \\ \hline 1\,\boxed{}\,\boxed{}\,\boxed{}\,\boxed{} \end{array}$$

$$\begin{array}{r} 3\,7\,0 \\ \times\ \boxed{}\,0 \\ \hline 1\,\boxed{}\,\boxed{}\,\boxed{}\,\boxed{} \end{array}$$

$$\begin{array}{r} 3\,7\,0 \\ \times\ \boxed{}\,0 \\ \hline 1\,\boxed{}\,\boxed{}\,\boxed{}\,\boxed{} \end{array}$$

 주어진 식에서 ♡가 될 수 있는 숫자를 모두 구하시오. (19~21)

19 | $300 \times ♡0 > 20000$ | (   )

20 | $♡85 \times 60 > 30000$ | (   )

21 | $♡47 \times 50 < 30000$ | (   )

 주어진 4장의 숫자 카드를 빈칸에 모두 넣어 곱이 가장 커지도록 하시오. (22~23)

22 [4] [5] [7] [9] $\boxed{}\boxed{}\boxed{} \times \boxed{}\,0$

23 [2] [5] [6] [8] $\boxed{}\boxed{}\boxed{} \times \boxed{}\,0$

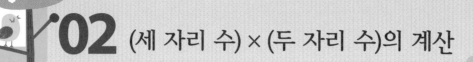

02 (세 자리 수) × (두 자리 수)의 계산

개념

• 235×23의 계산

$$235×23=235×3+235×20$$
$$=705+4700=5405$$

```
    2 3 5          2 3 5      2 3 5          2 3 5
  ×   2 3    →   ×     3    ×   2 0    →   ×   2 3
                   7 0 5      4 7 0 0        7 0 5
                                           4 7 0 0
                                           5 4 0 5
```

235×23은 235의 23배입니다. 따라서 235의 23배는 235의 3배와 235의 20배를 더한 값과 같습니다.

 □ 안에 알맞은 수를 써넣으시오. (01~04)

01 180×25

=180×□+180×20

=□+□

=□

02 276×43

=276×3+276×□

=□+□

=□

03
```
    3 7 0          3 7 0          3 7 0
  ×   1 2        ×     2        ×   1 0
    □      ←      □            □
    □      ←                   □
    □
```

04
```
    3 7 5          3 7 5          3 7 5
  ×   2 4        ×     4        ×   2 0
    □      ←      □            □
    □      ←                   □
    □
```

□ 안에 알맞은 곱셈식을 써넣으시오. (05~06)

05

```
      2 5 0
  ×     1 2
  ─────────
      5 0 0  ←  [        ]
    2 5 0 0  ←  [        ]
  ─────────
    3 0 0 0
```

06

```
      3 1 8
  ×     2 3
  ─────────
      9 5 4  ←  [        ]
    6 3 6 0  ←  [        ]
  ─────────
    7 3 1 4
```

 계산을 하시오. (07~24)

07
```
    1 8 0
  ×   3 6
```

08
```
    2 7 0
  ×   1 5
```

09
```
    4 0 0
  ×   2 4
```

10
```
    2 7 5
  ×   1 3
```

11
```
    4 2 1
  ×   2 7
```

12
```
    1 9 5
  ×   2 2
```

13
```
    4 0 8
  ×   3 1
```

14
```
    6 2 3
  ×   1 1
```

15
```
    2 1 4
  ×   5 2
```

16 240×17

17 320×15

18 390×27

19 625×24

20 127×36

21 357×15

22 413×27

23 526×23

24 236×41

사고력 기르기

 □ 안에 알맞은 숫자를 써넣어 곱셈식을 완성하시오. (01~06)

Step 1

01

```
      2 □ 4
  ×     3 5
  ─────────
  1 3 7 0
  □ □ □
  □ □ □ □
```

02

```
      4 □ 3
  ×     2 7
  ─────────
  3 2 4 1
    □ □ □
  □ □ □ □ 1
```

03

```
      3 2 9
  ×     □ 3
  ─────────
      □ □ □
  1 3 1 6
  1 □ □ □ □
```

04

```
      5 3 8
  ×     □ 2
  ─────────
    □ □ □ □
  3 2 2 8
  3 □ □ □ □
```

05

```
      4 3 5
  ×     3 □
  ─────────
  3 0 4 5
  □ □ □ □
  □ □ □ □ 5
```

06

```
      8 7 4
  ×     5 □
  ─────────
  6 9 9 2
  □ □ □ □
  □ □ □ □ 2
```

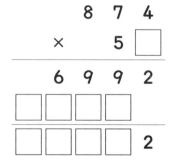

07 주어진 식에서 ♥가 될 수 있는 숫자를 모두 구하고 □ 안에 숫자를 써넣어 곱셈식을 완성하시오.

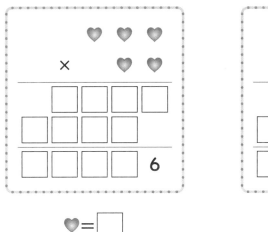

08 □ 안에 **l**, **3**, **7**, **9**를 각각 **2**번씩 써넣어 곱셈식을 완성하고 곱을 구하시오.

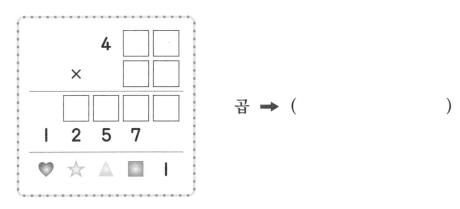

곱 ➡ (   )

09 □ 안에 **l**부터 **9**까지의 자연수를 모두 써넣어 곱셈식을 완성하고 곱을 구하시오.

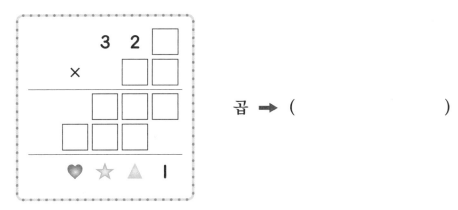

곱 ➡ (   )

사고력 기르기

🌸 □ 안에 알맞은 숫자를 써넣어 곱셈식을 완성하시오. (01~06)

01
```
      2 □ 6
    ×   □ □
    ─────────
      9 4 4
  □ □ □ 0
  ─────────
  □ □ □ 4 4
```

02
```
      3 □ 4
    ×   □ □
    ─────────
    2 9 1 6
  □ □ □ 8
  ─────────
  □ □ □ 9 6
```

03
```
      4 5 □
    ×   □ □
    ─────────
    2 □ 1 8
  □ □ □ 2
  ─────────
  □ □ □ □ 8
```

04
```
      3 7 □
    ×   □ □
    ─────────
    3 0 □ 0
  1 □ 2 5
  ─────────
  □ □ □ □ 0
```

05
```
      5 □ □
    ×   4 □
    ─────────
    4 2 1 6
  □ □ □ □
  ─────────
  □ □ □ □ 6
```

06
```
      8 □ □
    ×   6 □
    ─────────
    1 6 9 8
  □ □ □ □
  ─────────
  □ □ □ □ 8
```

에서 규칙을 찾아 빈칸에 알맞은 수를 써넣으시오. (07~09)

보기
$$8 \times 12 = 10 \times 10 - 2 \times 2 = 96$$
$$17 \times 23 = 20 \times 20 - 3 \times 3 = 391$$
$$26 \times 34 = 30 \times 30 - 4 \times 4 = 884$$

07 $90 \times 110 = \boxed{} \times \boxed{} - \boxed{} \times \boxed{} = \boxed{}$

08 $88 \times 112 = \boxed{} \times \boxed{} - \boxed{} \times \boxed{} = \boxed{}$

09 $125 \times 175 = \boxed{} \times \boxed{} - \boxed{} \times \boxed{} = \boxed{}$

 격자 곱셈법을 이용하여 와 같이 계산할 수 있습니다. 빈 곳에 알맞은 수를 써넣으시오. (10~12)

보기

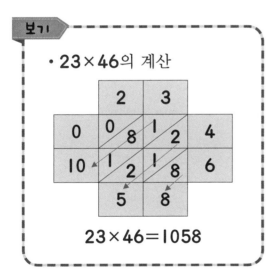

· 23×46의 계산

$$23 \times 46 = 1058$$

10 457×26의 계산

	4	5	7
0	8	1 0	1 4	2
2	2 4	3 0	4 2	6

11

	3	2	8
2			
3	0 9	0 6	2 4	3
	9	4	4	

12

	4		3
3	3 2		2 4	8
8				
	7	8	6	

 □ 안에 알맞은 수를 써넣으시오. (01~03)

01 150×12
    =150× □ +150×10
    = □ + □
    = □

02 427×21
    =427×1+427× □
    = □ + □
    = □

03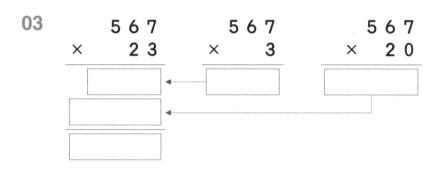

$$
\begin{array}{r} 567 \\ \times\ \ 23 \\ \hline \end{array}
\qquad
\begin{array}{r} 567 \\ \times\ \ \ \ 3 \\ \hline \end{array}
\qquad
\begin{array}{r} 567 \\ \times\ \ 20 \\ \hline \end{array}
$$

 계산을 하시오. (04~15)

04 $\begin{array}{r} 180 \\ \times\ 25 \\ \hline \end{array}$

05 $\begin{array}{r} 270 \\ \times\ 32 \\ \hline \end{array}$

06 $\begin{array}{r} 192 \\ \times\ 31 \\ \hline \end{array}$

07 $\begin{array}{r} 482 \\ \times\ 25 \\ \hline \end{array}$

08 $\begin{array}{r} 625 \\ \times\ 18 \\ \hline \end{array}$

09 $\begin{array}{r} 417 \\ \times\ 22 \\ \hline \end{array}$

10 333×12

11 276×35

12 410×19

13 125×28

14 572×25

15 624×25

 □ 안에 알맞은 숫자를 써넣어 곱셈식을 완성하시오. (16~17)

16

```
      2 □ 5
  ×     3 6
  ─────────
    1 7 1 0
    □ □ □
  □ □ □ □ □
```

17

```
      5 4 6
  ×     □ 2
  ─────────
  □ □ □ □
  3 2 7 6
  3 □ □ □ □
```

 주어진 식에서 ♥가 될 수 있는 숫자를 구하고 □ 안에 숫자를 써넣어 곱셈식을 완성하시오. (18~19)

18

♥=□

19

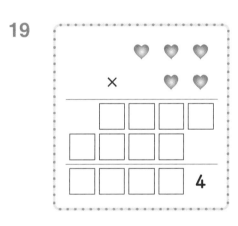

♥=□

20 □ 안에 2, 4, 7, 9를 각각 2번씩 써넣어 곱셈식을 완성하고 곱을 구하시오.

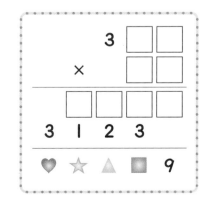

곱 ➡ (　　　　　　　　)

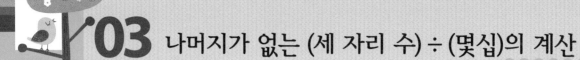

03 나머지가 없는 (세 자리 수) ÷ (몇십)의 계산

개
념

1. 140 ÷ 20의 계산

→ 십 모형 14개를 2개씩 묶으면 7묶음입니다.

$$140 \div 20 = 7$$

$$14 \div 2 = 7$$

$$
\begin{array}{r}
7 \quad \leftarrow 몫 \\
20)\overline{140} \\
140 \\
\hline
0 \quad \leftarrow 나머지
\end{array}
$$

2. 450 ÷ 30의 계산

$$450 \div 30 = 15$$

$$45 \div 3 = 15$$

$$
\begin{array}{r}
15 \quad \leftarrow 몫 \\
30)\overline{450} \\
30 \\
\hline
150 \\
150 \\
\hline
0 \quad \leftarrow 나머지
\end{array}
$$

→ 450은 10씩 묶음이 45개이고, 30은 10씩 묶음이 3개이므로
450 ÷ 30의 몫은 45 ÷ 3의 몫과 같습니다.

 □ 안에 알맞은 수를 써넣으시오. (01~02)

01   150 ÷ 30 = □

15 ÷ 3 = □

$$
\begin{array}{r}
\square \\
30)\overline{1\ 5\ 0} \\
\square \\
\hline
0
\end{array}
$$

02   480 ÷ 40 = □

48 ÷ 4 = □

$$
\begin{array}{r}
\square \\
40)\overline{4\ 8\ 0} \\
\square \\
\hline
\square \\
\square \\
\hline
0
\end{array}
$$

□ 안에 알맞은 수를 써넣으시오. (03~08)

03 $18 \div 6 =$ □ ➡ $180 \div 60 =$ □

04 $92 \div 4 =$ □ ➡ $920 \div 40 =$ □

05
```
       □
   40)320
   □□□
       0
```

06
```
       □
   70)490
   □□□
       0
```

07
```
       □
   50)650
   □□□
   □□□
       0
```

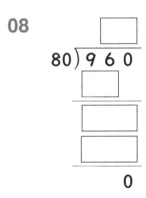

08
```
       □
   80)960
   □□□
   □□□
       0
```

 계산을 하시오. (09~17)

09 20)180

10 40)160

11 60)420

12 50)550

13 30)690

14 90)990

15 40)840

16 20)300

17 50)850

 □ 안에 알맞은 숫자를 써넣어 나눗셈식을 완성하시오. (01~12)

01

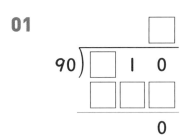

02

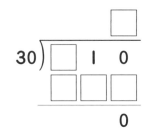

03

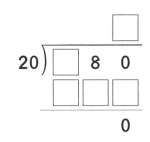

04

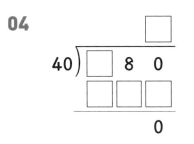

05

06

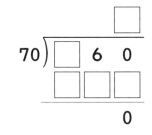

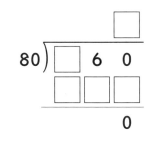

07

08

09

10

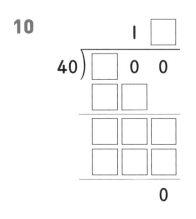

11

12

□ 안에 숫자를 써넣어 여러 가지 나눗셈식을 만들어 보시오. (13~15)

13

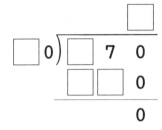

14

15

 주어진 나눗셈식에서 서로 다른 모양은 서로 다른 숫자입니다. ♥가 될 수 있는 숫자를 모두 구하시오. (01~04)

01 ●■▲÷20=♥   (   )

02 ●■▲÷30=♥   (   )

03 ●■▲÷40=♥   (   )

04 ●■▲÷50=♥   (   )

05 빈칸에 숫자를 써넣어 여러 가지 나눗셈식을 만들어 보시오.

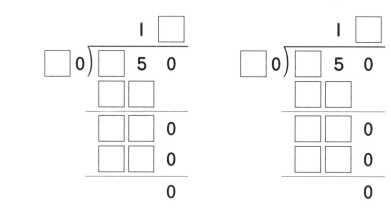

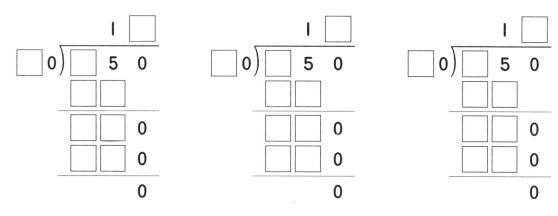

주어진 식을 성립시키는 여러 가지 나눗셈식을 만들어 보시오. (단, 서로 다른 모양은 서로 다른 숫자입니다.) (06~08)

06 ♥♥0÷☆0=★★

☐☐0÷☐0=☐☐   ☐☐0÷☐0=☐☐

07 △△0÷△0=♥♥

☐☐0÷☐0=☐☐   ☐☐0÷☐0=☐☐

☐☐0÷☐0=☐☐   ☐☐0÷☐0=☐☐

☐☐0÷☐0=☐☐   ☐☐0÷☐0=☐☐

☐☐0÷☐0=☐☐   ☐☐0÷☐0=☐☐

08 ♥00÷☆0=△5

☐00÷☐0=☐5   ☐00÷☐0=☐5

☐00÷☐0=☐5   ☐00÷☐0=☐5

☐00÷☐0=☐5

 □ 안에 알맞은 수를 써넣으시오. (01~06)

01 20÷4=☐ ➡ 200÷40=☐

02 68÷4=☐ ➡ 680÷40=☐

03
```
       ☐
  80)4 8 0
    ┌─────┐
    └─────┘
       0
```

04
```
       ☐
  40)3 6 0
    ┌─────┐
    └─────┘
       0
```

05
```
       ☐
  20)6 4 0
    ┌─────┐
    └─────┘
    ┌─────┐
    └─────┘
       0
```

06
```
       ☐
  70)9 8 0
    ┌─────┐
    └─────┘
    ┌─────┐
    └─────┘
       0
```

 계산을 하시오. (07~15)

07 20)160

08 50)400

09 90)810

10 60)180

11 40)600

12 70)840

13 30)810

14 80)960

15 20)940

 □ 안에 알맞은 숫자를 써넣어 나눗셈식을 완성하시오. (16~21)

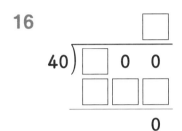

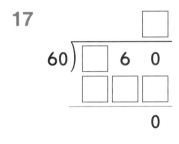

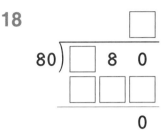

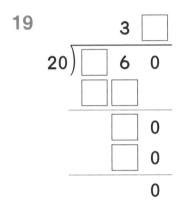

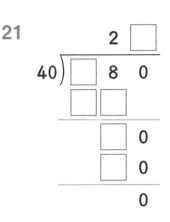

주어진 나눗셈식에서 서로 다른 모양은 서로 다른 숫자입니다. ♥가 될 수 있는 숫자를 모두 구하시오. (22~23)

22 ●■▲÷60=♥

(   )

23 ●■▲÷70=♥

(   )

24 주어진 식을 성립시키는 여러 가지 나눗셈식을 만들어 보시오. (단, 서로 다른 모양은 서로 다른 숫자입니다.)

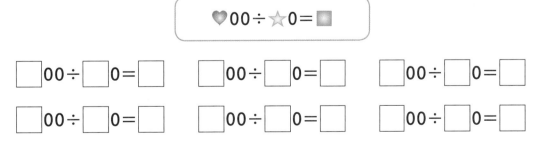

♥00÷☆0=■

□00÷□0=□   □00÷□0=□   □00÷□0=□

□00÷□0=□   □00÷□0=□   □00÷□0=□

□00÷□0=□   □00÷□0=□

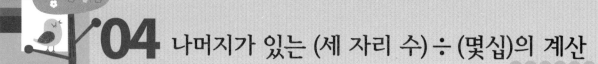

04 나머지가 있는 (세 자리 수)÷(몇십)의 계산

개념

• 182÷30의 계산

① 182를 180으로 생각하여 180÷30=6으로 어림할 수 있습니다.

② 30×6=180이므로 182÷30은 30씩 6번 덜어 내고 2가 남습니다.

$$182÷30=6\cdots2$$

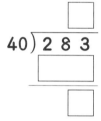

```
          6 ← 몫
30 ) 1 8 2
      1 8 0
          2 ← 나머지
```

검산   30×6+2=182

□ 안에 알맞은 수를 써넣으시오. (01~04)

01

```
      □
20 ) 1 2 5
    □
      □
```

검산 20×□+□=125

02

```
      □
40 ) 2 8 3
    □
      □
```

검산 40×□+□=283

03

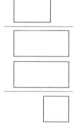

```
      □
80 ) 9 6 2
    □
    □
    □
      □
```

검산 80×□+□=962

04

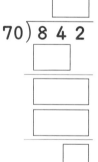

```
      □
70 ) 8 4 2
    □
    □
    □
      □
```

검산 70×□+□=842

계산을 하고 검산해 보시오. (05~12)

05

$$30 \overline{)276}$$

검산 _____

06

$$50 \overline{)312}$$

검산 _____

07

$$20 \overline{)171}$$

검산 _____

08

$$60 \overline{)425}$$

검산 _____

09

$$40 \overline{)888}$$

검산 _____

10

$$30 \overline{)735}$$

검산 _____

11

$$50 \overline{)857}$$

검산 _____

12

$$60 \overline{)723}$$

검산 _____

 □ 안에 알맞은 숫자를 써넣어 나눗셈식을 완성하시오. (01~12)

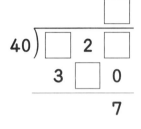

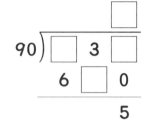

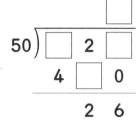

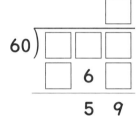

주어진 나눗셈식에서 ♥는 100보다 크고 200보다 작은 자연수입니다. 물음에 답하시오. (13~15)

$$♥ \div 20 = \blacksquare \cdots \triangle$$

13 나머지가 5일 때의 나눗셈식을 모두 써 보시오.

$$\boxed{} \div 20 = \boxed{} \cdots 5$$
$$\boxed{} \div 20 = \boxed{} \cdots 5$$
$$\boxed{} \div 20 = \boxed{} \cdots 5$$
$$\boxed{} \div 20 = \boxed{} \cdots 5$$
$$\boxed{} \div 20 = \boxed{} \cdots 5$$

14 몫과 나머지가 같을 때의 나눗셈식을 모두 써 보시오.

$$\boxed{} \div 20 = \boxed{} \cdots \boxed{}$$
$$\boxed{} \div 20 = \boxed{} \cdots \boxed{}$$
$$\boxed{} \div 20 = \boxed{} \cdots \boxed{}$$
$$\boxed{} \div 20 = \boxed{} \cdots \boxed{}$$
$$\boxed{} \div 20 = \boxed{} \cdots \boxed{}$$

15 나머지가 가장 클 때의 나눗셈식을 모두 써 보시오.

$$\boxed{} \div 20 = \boxed{} \cdots \boxed{}$$
$$\boxed{} \div 20 = \boxed{} \cdots \boxed{}$$
$$\boxed{} \div 20 = \boxed{} \cdots \boxed{}$$
$$\boxed{} \div 20 = \boxed{} \cdots \boxed{}$$
$$\boxed{} \div 20 = \boxed{} \cdots \boxed{}$$

 □ 안에 알맞은 숫자를 써넣어 여러 가지 나눗셈식을 만들어 보시오. (01~02)

01

```
        □ 2
   □ 0 ) □ □ 7
       □ □
      □ □ □
      □ □ □
          □
```

```
        □ 2
   □ 0 ) □ □ 7
       □ □
      □ □ □
      □ □ □
          □
```

```
        □ 2
   □ 0 ) □ □ 7
       □ □
      □ □ □
      □ □ □
          □
```

```
        □ 2
   □ 0 ) □ □ 7
       □ □
      □ □ □
      □ □ □
          □
```

02

```
        □ 3
   □ 0 ) □ □ 5
       □ □
      □ □ □
      □ □ □
          □
```

```
        □ 3
   □ 0 ) □ □ 5
       □ □
      □ □ □
      □ □ □
          □
```

```
        □ 3
   □ 0 ) □ □ 5
       □ □
      □ □ □
      □ □ □
          □
```

```
        □ 3
   □ 0 ) □ □ 5
       □ □
      □ □ □
      □ □ □
          □
```

```
        □ 3
   □ 0 ) □ □ 5
       □ □
      □ □ □
      □ □ □
          □
```

주어진 나눗셈식의 빈칸에 4장의 숫자 카드 2 , 3 , 4 , 5 를 모두 넣어 나눗셈을 하려고 합니다. 물음에 답하시오. (03~04)

$$\boxed{}\boxed{}\boxed{}\div\boxed{}0$$

03 나머지가 가장 작을 때의 나눗셈식을 모두 만들어 보시오.

$$\boxed{}\boxed{}\boxed{}\div\boxed{}0=\boxed{}\cdots\boxed{}$$

$$\boxed{}\boxed{}\boxed{}\div\boxed{}0=\boxed{}\cdots\boxed{}$$

04 나머지가 가장 클 때의 나눗셈식을 만들어 보시오.

$$\boxed{}\boxed{}\boxed{}\div\boxed{}0=\boxed{}\cdots\boxed{}$$

 5장의 숫자 카드 1 , 3 , 5 , 6 , 8 중 3장을 뽑아 세 자리 수 ♥▲☆를 만들 때, 주어진 식을 성립시키는 여러 가지 나눗셈식을 만들어 보시오. (단, 나머지는 0이 아닙니다.) (05~06)

05 ♥▲☆÷40=15 ⋯ ■

$$\boxed{}\boxed{}\boxed{}\div40=15\cdots\boxed{}\qquad\boxed{}\boxed{}\boxed{}\div40=15\cdots\boxed{}$$

$$\boxed{}\boxed{}\boxed{}\div40=15\cdots\boxed{}\qquad\boxed{}\boxed{}\boxed{}\div40=15\cdots\boxed{}$$

$$\boxed{}\boxed{}\boxed{}\div40=15\cdots\boxed{}\qquad\boxed{}\boxed{}\boxed{}\div40=15\cdots\boxed{}$$

06 ♥▲☆÷30=12 ⋯ ■

$$\boxed{}\boxed{}\boxed{}\div30=12\cdots\boxed{}\qquad\boxed{}\boxed{}\boxed{}\div30=12\cdots\boxed{}$$

$$\boxed{}\boxed{}\boxed{}\div30=12\cdots\boxed{}\qquad\boxed{}\boxed{}\boxed{}\div30=12\cdots\boxed{}$$

$$\boxed{}\boxed{}\boxed{}\div30=12\cdots\boxed{}\qquad\boxed{}\boxed{}\boxed{}\div30=12\cdots\boxed{}$$

 □ 안에 알맞은 수를 써넣으시오. (01~02)

01

```
        □
30 ) 2 1 3
    □□
       □
```

검산 30 × □ + □ = 213

02

```
        □
70 ) 9 1 4
    □□
    □□□
    □□□
       □
```

검산 70 × □ + □ = 914

 계산을 하고 검산해 보시오. (03~06)

03

```
80 ) 5 6 1
```

검산

04

```
50 ) 4 5 2
```

검산

05

```
40 ) 9 2 5
```

검산

06

```
60 ) 9 6 5
```

검산

 □ 안에 알맞은 숫자를 써넣어 나눗셈식을 완성하시오. (07~12)

07
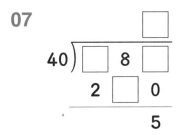

08
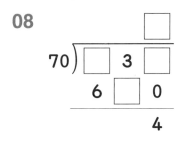

09
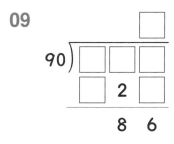

10
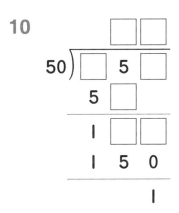

11
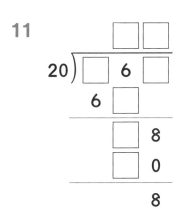

12
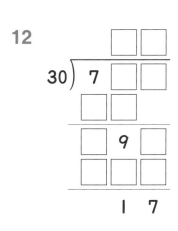

 주어진 나눗셈식의 빈칸에 4장의 숫자 카드 3 , 4 , 6 , 9 를 모두 넣어 나눗셈을 하려고 합니다. 물음에 답하시오. (13~14)

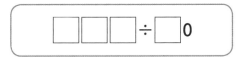

13   나머지가 가장 작을 때의 나눗셈식을 만들어 보시오.

$$\boxed{}\boxed{}\boxed{} \div \boxed{}0 = \boxed{} \cdots \boxed{}$$

14   나머지가 가장 클 때의 나눗셈식을 모두 만들어 보시오.

$$\boxed{}\boxed{}\boxed{} \div \boxed{}0 = \boxed{} \cdots \boxed{}$$

$$\boxed{}\boxed{}\boxed{} \div \boxed{}0 = \boxed{} \cdots \boxed{}$$

개념

• 150÷25의 계산

```
25×4=100
25×5=125
25×6=150
```

```
        6  ← 몫
25)150
      150
────────
        0  ← 나머지
```

검산   25×6=150

□ 안에 알맞은 수를 써넣으시오. (01~04)

01

```
32×5=160
32×6=□
32×7=□
```

```
       □
32)192
   □
────────
     0
```

검산   32×□=192

02

```
45×4=180
45×5=□
45×6=□
```

```
       □
45)270
   □
────────
     0
```

검산   45×□=270

03

```
       □
62)496
   □
────────
     0
```

검산   62×□=496

04

```
       □
57)285
   □
────────
     0
```

검산   57×□=285

계산을 하고 검산해 보시오. (05~12)

05

$$37\overline{)222}$$

검산 _____

06

$$18\overline{)162}$$

검산 _____

07

$$36\overline{)180}$$

검산 _____

08

$$76\overline{)304}$$

검산 _____

09

$$49\overline{)343}$$

검산 _____

10

$$62\overline{)434}$$

검산 _____

11

$$96\overline{)288}$$

검산 _____

12

$$85\overline{)765}$$

검산 _____

 □ 안에 알맞은 숫자를 써넣어 나눗셈식을 완성하시오. (01~09)

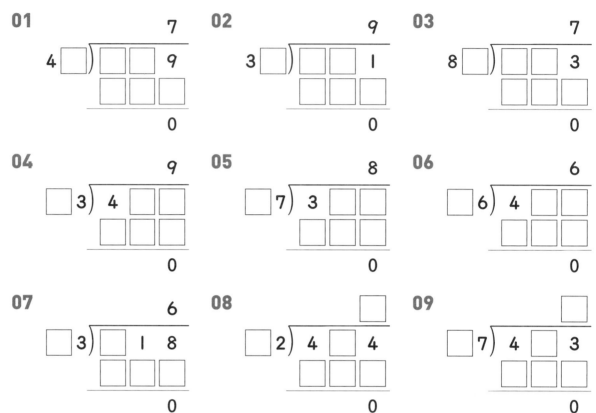

01

```
        7
4□)□□9
  □□□
     0
```

02

```
       9
3□)□□1
 □□□
    0
```

03

```
       7
8□)□□3
 □□□
    0
```

04

```
       9
□3)4□□
  □□□
    0
```

05

```
      8
□7)3□□
 □□□
   0
```

06

```
      6
□6)4□□
 □□□
   0
```

07

```
      6
□3)□18
 □□□
   0
```

08

```
     □
□2)4□4
□□□
   0
```

09

```
     □
□7)4□3
□□□
   0
```

 ♥는 두 자리 수, ☆은 한 자리 수입니다. 보기 를 참고하여 조건에 맞는 나눗셈식을 만들어 보시오. (10~11)

> **보기**
>
> 130÷♥=☆에서 130÷☆=♥이므로 130을 한 자리 수인 ☆로 나누어떨어지게 하는 경우는 130÷1=130, 130÷2=65, 130÷5=26입니다.
> 따라서 130÷♥=☆을 만족하는 나눗셈식은 130÷65=2, 130÷26=5 입니다.

10   296÷♥=☆   296÷□□=□   296÷□□=□

11   368÷♥=☆   368÷□□=□   368÷□□=□

주어진 식에서 ♥는 세 자리 수, ☆은 한 자리 수입니다. 조건을 만족하는 여러 가지 나눗셈식을 만들어 보시오. (12~15)

12　♥÷25=☆

☐☐☐÷25=☐　☐☐☐÷25=☐　☐☐☐÷25=☐

☐☐☐÷25=☐　☐☐☐÷25=☐　☐☐☐÷25=☐

13　♥÷21=☆

☐☐☐÷21=☐　☐☐☐÷21=☐　☐☐☐÷21=☐

☐☐☐÷21=☐　☐☐☐÷21=☐

14　♥÷19=☆

☐☐☐÷19=☐　☐☐☐÷19=☐　☐☐☐÷19=☐

☐☐☐÷19=☐

15　♥÷42=☆　☐☐☐÷42=☐

☐☐☐÷42=☐　☐☐☐÷42=☐　☐☐☐÷42=☐

☐☐☐÷42=☐　☐☐☐÷42=☐　☐☐☐÷42=☐

사고력 기르기

 □ 안에 알맞은 숫자를 써넣어 나눗셈식을 완성하시오. (01~06)

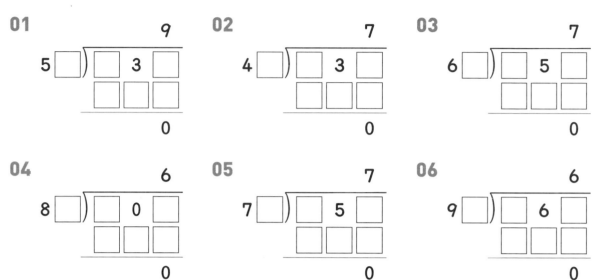

01
```
        9
5 □ ) □ 3 □
      □ □ □
          0
```

02
```
        7
4 □ ) □ 3 □
      □ □ □
          0
```

03
```
        7
6 □ ) □ 5 □
      □ □ □
          0
```

04
```
        6
8 □ ) □ 0 □
      □ □ □
          0
```

05
```
        7
7 □ ) □ 5 □
      □ □ □
          0
```

06
```
        6
9 □ ) □ 6 □
      □ □ □
          0
```

 □ 안에 알맞은 숫자를 써넣어 여러 가지 나눗셈식을 만들어 보시오. (07~09)

07
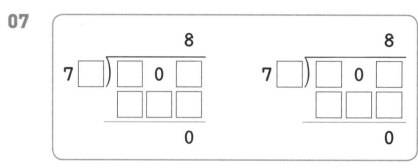
```
        8            8
7 □ ) □ 0 □  7 □ ) □ 0 □
      □ □ □        □ □ □
          0            0
```

08
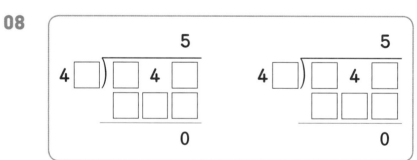
```
        5            5
4 □ ) □ 4 □  4 □ ) □ 4 □
      □ □ □        □ □ □
          0            0
```

09
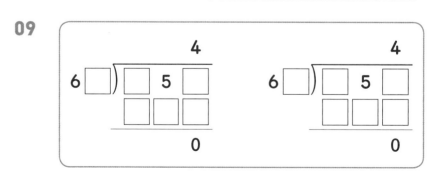
```
        4            4
6 □ ) □ 5 □  6 □ ) □ 5 □
      □ □ □        □ □ □
          0            0
```

주어진 나눗셈식에서 ♥는 세 자리 수, ★은 한 자리 수입니다. ♥가 될 수 있는 수 중 가장 큰 수와 가장 작은 수를 각각 구하시오. (10~14)

10 ♥ ÷ 27 = ★

가장 큰 수 (   )   가장 작은 수 (   )

11 ♥ ÷ 34 = ★

가장 큰 수 (   )   가장 작은 수 (   )

12 ♥ ÷ 55 = ★

가장 큰 수 (   )   가장 작은 수 (   )

13 ♥ ÷ 99 = ★

가장 큰 수 (   )   가장 작은 수 (   )

14 ♥ ÷ 18 = ★

가장 큰 수 (   )   가장 작은 수 (   )

15 서로 다른 모양은 서로 다른 숫자일 때, 주어진 식을 성립시키는 여러 가지 나눗셈식을 만들어 보시오.

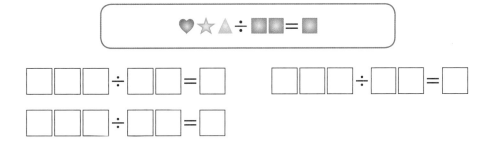

□□□ ÷ □□ = □   □□□ ÷ □□ = □

□□□ ÷ □□ = □

실력 점검

 □ 안에 알맞은 수를 써넣으시오. (01~02)

01

$$48\overline{)144}$$

검산   48× □ =144

02

$$67\overline{)268}$$

검산   67× □ =268

 계산을 하고 검산해 보시오. (03~08)

03

$$27\overline{)216}$$

검산

04

$$49\overline{)294}$$

검산

05

$$74\overline{)296}$$

검산

06

$$54\overline{)432}$$

검산

07

$$61\overline{)427}$$

검산

08

$$36\overline{)324}$$

검산

 □ 안에 알맞은 숫자를 써넣어 나눗셈식을 완성하시오. (09~11)

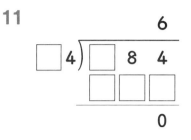

09

```
          7
  4 □ ) □ □ 6
        □ □ □
            0
```

10

```
          9
  □ 3 ) 3 □ □
        □ □ □
            0
```

11

```
          6
  □ 4 ) □ 8 4
        □ □ □
            0
```

 주어진 식에서 ♥는 세 자리 수, ☆은 한 자리 수입니다. 조건을 만족하는 여러 가지 나눗셈식을 만들어 보시오. (12~13)

12   ♥÷23＝☆

□□□÷23＝□   □□□÷23＝□   □□□÷23＝□

□□□÷23＝□   □□□÷23＝□

13   ♥÷16＝☆

□□□÷16＝□   □□□÷16＝□   □□□÷16＝□

 주어진 나눗셈식에서 ♥는 세 자리 수, ☆은 한 자리 수입니다. ♥가 될 수 있는 수 중 가장 큰 수와 가장 작은 수를 각각 구하시오. (14~15)

14   ♥÷19＝☆   (가장 큰 수)＝□   (가장 작은 수)＝□

15   ♥÷48＝☆   (가장 큰 수)＝□   (가장 작은 수)＝□

06 몫이 한 자리 수이고 나머지가 있는 (세 자리 수)÷(두 자리 수)의 계산

• 145÷24의 계산

$$24 \times 4 = 96$$
$$24 \times 5 = 120$$
$$24 \times 6 = 144$$

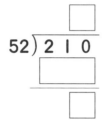

검산 24×6+1=145

□ 안에 알맞은 수를 써넣으시오. (01~04)

01

$$52 \times 3 = 156$$
$$52 \times 4 = \boxed{}$$
$$52 \times 5 = \boxed{}$$

$$52\,)\,\overline{2\ 1\ 0}$$

검산 52×□+□=210

02

$$47 \times 4 = 188$$
$$47 \times 5 = \boxed{}$$
$$47 \times 6 = \boxed{}$$

$$47\,)\,\overline{2\ 8\ 5}$$

검산 47×□+□=285

03

$$36\,)\,\overline{2\ 9\ 4}$$

검산 36×□+□=294

04

$$61\,)\,\overline{3\ 6\ 8}$$

검산 61×□+□=368

계산을 하고 검산해 보시오. (05~12)

05

$$27\overline{)218}$$

검산 _____

06

$$49\overline{)150}$$

검산 _____

07

$$57\overline{)289}$$

검산 _____

08

$$76\overline{)315}$$

검산 _____

09

$$82\overline{)412}$$

검산 _____

10

$$67\overline{)538}$$

검산 _____

11

$$91\overline{)365}$$

검산 _____

12

$$42\overline{)382}$$

검산 _____

 □ 안에 알맞은 숫자를 써넣어 나눗셈식을 완성하시오. (01~06)

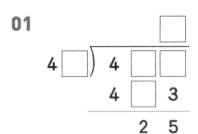

01
```
        □
4□)4□□
   4□3
      25
```

02
```
        □
5□)4□□
   3□1
      30
```

03
```
        □
3□)3□□
   3□1
      17
```

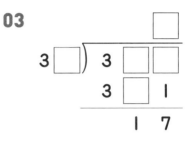

04
```
        □
8□)2□□
   2□7
      14
```

05
```
        □
6□)4□□
   4□9
      20
```

06
```
        □
5□)1□□
   1□3
      36
```

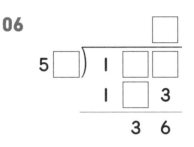

 주어진 나눗셈식에서 ♥가 나타내는 수는 얼마인지 구하시오. (07~11)

07 $525 \div ♥ = 6 \cdots 3$ ♥ = □

08 $393 \div ♥ = 9 \cdots 15$ ♥ = □

09 $414 \div ♥ = 7 \cdots 22$ ♥ = □

10 $199 \div ♥ = 5 \cdots 9$ ♥ = □

11 $339 \div ♥ = 4 \cdots 31$ ♥ = □

주어진 나눗셈식에서 ♥가 될 수 있는 수 중 가장 큰 수를 구하시오. (12~15)

12 $\quad$ ♥ ÷ 32 = 6 ··· ☆ $\qquad$ ♥ = ☐

13 $\quad$ ♥ ÷ 53 = 4 ··· ☆ $\qquad$ ♥ = ☐

14 $\quad$ ♥ ÷ 29 = 5 ··· ☆ $\qquad$ ♥ = ☐

15 $\quad$ ♥ ÷ 45 = 8 ··· ☆ $\qquad$ ♥ = ☐

 나눗셈에 대한 조건이 다음과 같이 주어졌을 때, △가 될 수 있는 숫자를 모두 구하시오. (16~18)

16 $\quad$ 25△ ÷ 62 ➡ 몫 : 4, 나머지 : 한 자리 수

$\qquad$ ($\qquad\qquad$)

17 $\quad$ 39△ ÷ 55 ➡ 몫 : 7, 나머지 : 한 자리 수

$\qquad$ ($\qquad\qquad$)

18 $\quad$ 37△ ÷ 73 ➡ 몫 : 5, 나머지 : 두 자리 수

$\qquad$ ($\qquad\qquad$)

사고력 기르기

Step 2

 □ 안에 숫자를 써넣어 여러 가지 나눗셈식을 만들어 보시오. (01~02)

01

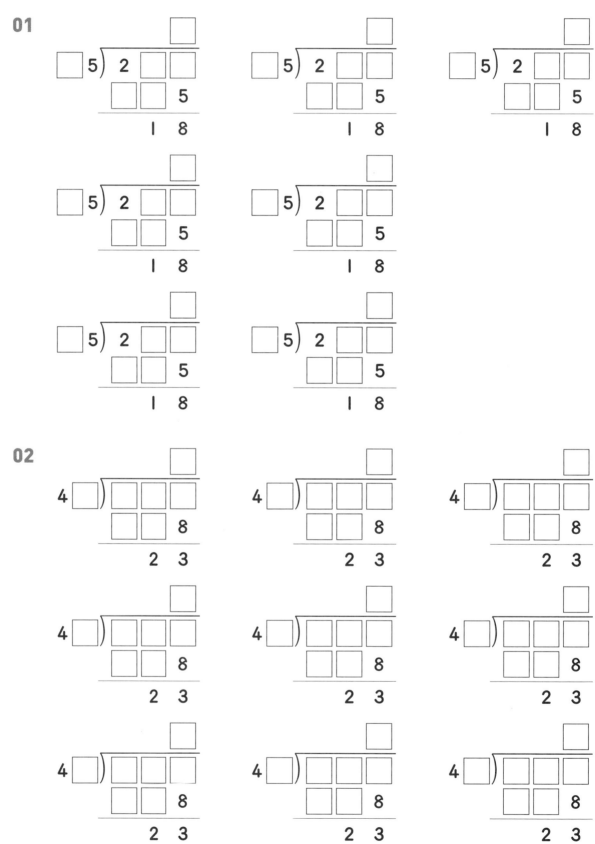

02

주어진 나눗셈식에서 ☆이 될 수 있는 수 중 가장 큰 수와 그때의 나머지 △를 각각 구하
시오. (03~08)

03   424÷☆=9…△

   ☆=□   △=□

04   292÷☆=7…△

   ☆=□   △=□

05   369÷☆=8…△

   ☆=□   △=□

06   143÷☆=3…△

   ☆=□   △=□

07   406÷☆=5…△

   ☆=□   △=□

08   537÷☆=6…△

   ☆=□   △=□

실력 점검

 □ 안에 알맞은 수를 써넣으시오. (01~02)

01

$$36\overline{)145}$$

검산 $36 \times \Box + \Box = 145$

02

$$58\overline{)235}$$

검산 $58 \times \Box + \Box = 235$

 계산을 하고 검산해 보시오. (03~08)

03

$$19\overline{)155}$$

검산 _____

04

$$23\overline{)185}$$

검산 _____

05

$$42\overline{)215}$$

검산 _____

06

$$72\overline{)435}$$

검산 _____

07

$$87\overline{)263}$$

검산 _____

08

$$88\overline{)530}$$

검산 _____

 주어진 나눗셈식에서 ♥가 나타내는 수는 얼마인지 구하시오. (09~10)

09 $355 ÷ ♥ = 6 \cdots 7$ ♥ = ☐

10 $247 ÷ ♥ = 8 \cdots 15$ ♥ = ☐

 나눗셈에 대한 조건이 다음과 같이 주어졌을 때, △가 될 수 있는 숫자를 모두 구하시오.
(11~12)

11 $22△ ÷ 43 \rightarrow$ 몫 : 5, 나머지 : 한 자리 수

(   )

12 $45△ ÷ 64 \rightarrow$ 몫 : 7, 나머지 : 한 자리 수

(   )

 주어진 나눗셈식에서 ☆이 될 수 있는 수 중 가장 큰 수와 그때의 나머지 △를 각각 구하시오. (13~14)

13 $356 ÷ ☆ = 9 \cdots △$

☆ = ☐   △ = ☐

14 $493 ÷ ☆ = 7 \cdots △$

☆ = ☐   △ = ☐

개념

• 330÷15의 계산

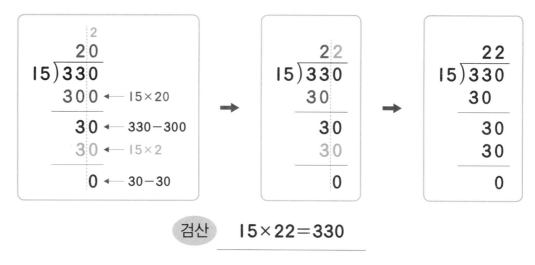

검산 15×22＝330

□ 안에 알맞은 수를 써넣으시오. (01~02)

01

24) 3 6 0 ➡ 24) 3 6 0 ➡ 24) 3 6 0

검산 24×□＝360

02

21) 5 6 7 ➡ 21) 5 6 7 ➡ 21) 5 6 7

검산 21×□＝567

계산을 하고 검산해 보시오. (03~10)

03

18)414

검산 _____

04

27)945

검산 _____

05

31)868

검산 _____

06

47)893

검산 _____

07

69)828

검산 _____

08

52)728

검산 _____

09

67)871

검산 _____

10

34)952

검산 _____

사고력 기르기

 ☐ 안에 알맞은 숫자를 써넣어 나눗셈식을 완성하시오. (01~12)

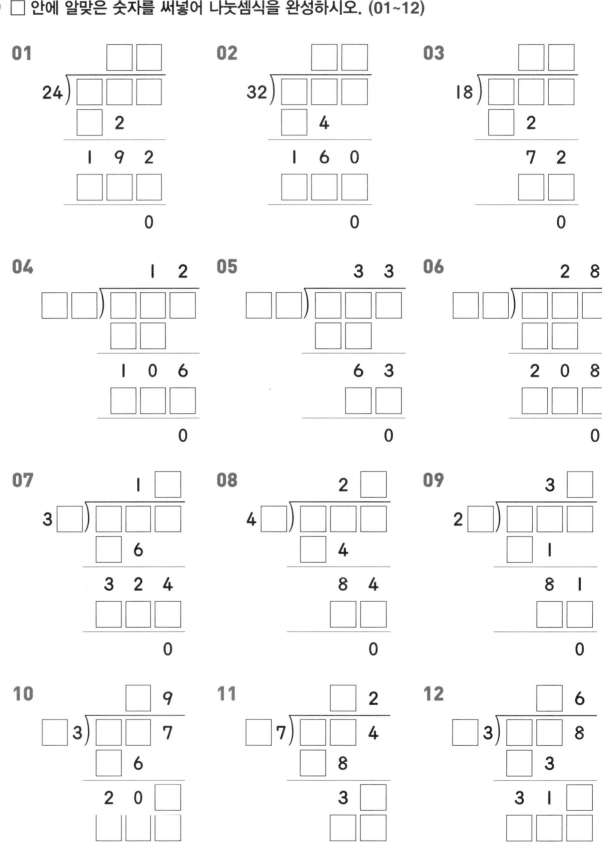

주어진 식을 성립시키는 여러 가지 나눗셈식을 만들어 보시오. (13~14)

13

☆ ☆) 7 2 6   ♥ ♥

□ □) 7 2 6   □ □

□ □) 7 2 6   □ □

□ □) 7 2 6   □ □

□ □) 7 2 6   □ □

14

☆ ☆) 9 6 8   ♥ ♥

□ □) 9 6 8   □ □

□ □) 9 6 8   □ □

□ □) 9 6 8   □ □

□ □) 9 6 8   □ □

🌸 □ 안에 알맞은 숫자를 써넣어 나눗셈식을 완성하시오. (01~03)

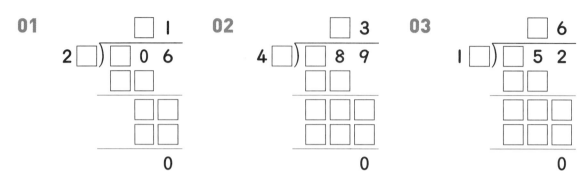

🌸 주어진 식을 성립시키는 여러 가지 나눗셈식을 만들어 보시오. (04~05)

04

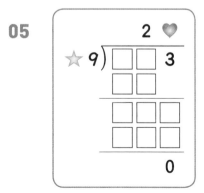

05

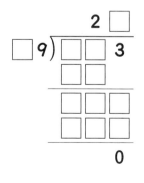

06 ☆과 ♥가 서로 다른 숫자일 때, 주어진 식을 성립시키는 여러 가지 나눗셈식을 만들어 보시오.

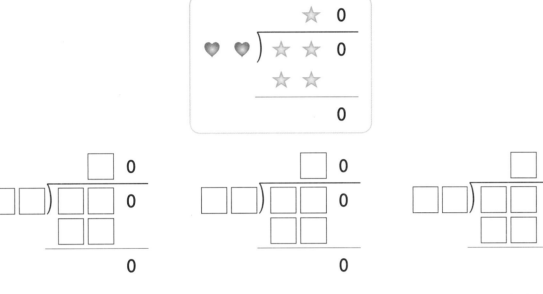

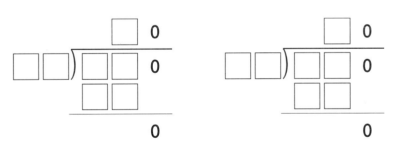

주어진 나눗셈식에서 ♥는 세 자리 수, ☆은 두 자리 수입니다. ♥가 될 수 있는 수 중 가장 작은 수와 가장 큰 수를 각각 구하시오. (07~08)

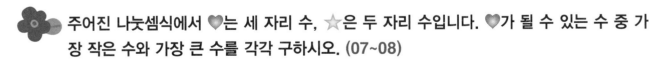

07 ♥÷25=☆   (가장 작은 수)=☐   (가장 큰 수)=☐

08 ♥÷31=☆   (가장 작은 수)=☐   (가장 큰 수)=☐

실력 점검

 계산을 하고 검산해 보시오. (01~08)

01

$$21)\overline{294}$$

검산 _____

02

$$34)\overline{442}$$

검산 _____

03

$$18)\overline{342}$$

검산 _____

04

$$37)\overline{777}$$

검산 _____

05

$$58)\overline{638}$$

검산 _____

06

$$35)\overline{805}$$

검산 _____

07

$$21)\overline{693}$$

검산 _____

08

$$34)\overline{612}$$

검산 _____

09 주어진 식을 성립시키는 여러 가지 나눗셈식을 만들어 보시오. (단, 모양이 다르더라도 숫자가 같을 수 있습니다.)

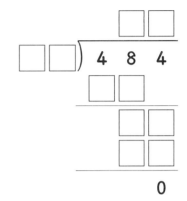

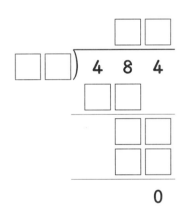

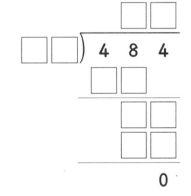

 주어진 나눗셈식에서 ♥는 세 자리 수, ☆은 두 자리 수입니다. ♥가 될 수 있는 수 중 가장 작은 수와 가장 큰 수를 각각 구하시오. (10~11)

10 ♥ ÷ 33 = ☆   (가장 작은 수) = ☐   (가장 큰 수) = ☐

11 ♥ ÷ 40 = ☆   (가장 작은 수) = ☐   (가장 큰 수) = ☐

개념

· 272÷18의 계산

$$
\begin{array}{r}
5 \\
10 \\
18\overline{)272} \\
180 \quad \leftarrow 18\times10 \\
\hline
92 \quad \leftarrow 272-180 \\
90 \quad \leftarrow 18\times5 \\
\hline
2 \quad \leftarrow 92-90
\end{array}
$$

→

$$
\begin{array}{r}
15 \\
18\overline{)272} \\
18 \\
\hline
92 \\
90 \\
\hline
2
\end{array}
$$

→

$$
\begin{array}{r}
15 \\
18\overline{)272} \\
18 \\
\hline
92 \\
90 \\
\hline
2
\end{array}
$$

검산　　18×15+2=272

□ 안에 알맞은 수를 써넣으시오. (01~02)

01

21)295　→　21)295　→　21)295

검산　　21×□+□=295

02

27)435　→　27)435　→　27)435

검산　　27×□+□=435

계산을 하고 검산해 보시오. (03~10)

03

$17\overline{)395}$

검산 _____

04

$28\overline{)593}$

검산 _____

05

$12\overline{)233}$

검산 _____

06

$48\overline{)725}$

검산 _____

07

$27\overline{)625}$

검산 _____

08

$17\overline{)196}$

검산 _____

09

$64\overline{)770}$

검산 _____

10

$39\overline{)705}$

검산 _____

사고력 기르기

Step 1

 ☐ 안에 알맞은 숫자를 써넣어 나눗셈식을 완성하시오. (01~09)

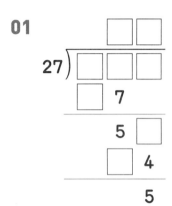

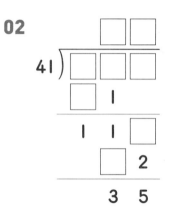

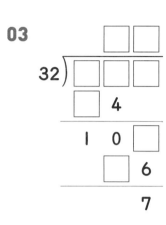

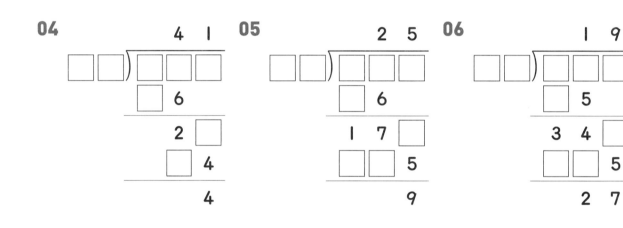

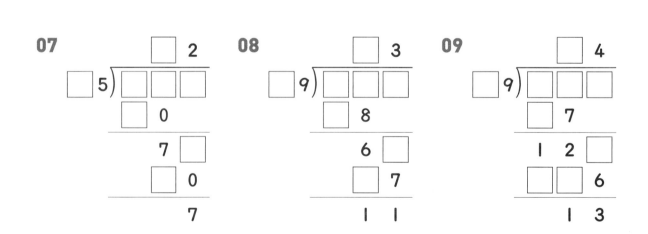

주어진 나눗셈식에서 ♥가 될 수 있는 수 중 가장 큰 수를 구하시오. (10~13)

10 ♥ ÷ 28 = 15 … ☆   ♥ = ☐

11 ♥ ÷ 36 = 21 … ☆   ♥ = ☐

12 ♥ ÷ 17 = 43 … ☆   ♥ = ☐

13 ♥ ÷ 33 = 28 … ☆   ♥ = ☐

 주어진 나눗셈식에서 ☆이 될 수 있는 숫자를 모두 구하시오. (14~17)

14 5☆3 ÷ 23 = 24 … △   (   )

15 5☆0 ÷ 38 = 14 … △   (   )

16 7☆5 ÷ 35 = 20 … △   (   )

17 9☆2 ÷ 42 = 22 … △   (   )

사고력 기르기

Step 2

 □ 안에 숫자를 써넣어 여러 가지 나눗셈식을 만들어 보시오. (01~02)

01

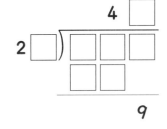

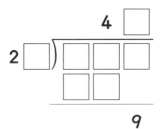

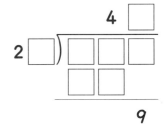

02

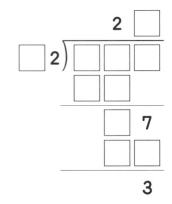

주어진 나눗셈식에서 ♥는 세 자리 수입니다. ☆이 될 수 있는 수 중 가장 작은 수와 가장 큰 수를 각각 구하시오. (03~09)

03　$♥ \div 31 = ☆ \cdots ▲$

가장 작은 수 (　　　　　　)　　　가장 큰 수 (　　　　　　)

04　$♥ \div 42 = ☆ \cdots ▲$

가장 작은 수 (　　　　　　)　　　가장 큰 수 (　　　　　　)

05　$♥ \div 23 = ☆ \cdots ▲$

가장 작은 수 (　　　　　　)　　　가장 큰 수 (　　　　　　)

06　$♥ \div 33 = ☆ \cdots ▲$

가장 작은 수 (　　　　　　)　　　가장 큰 수 (　　　　　　)

07　$♥ \div 28 = ☆ \cdots ▲$

가장 작은 수 (　　　　　　)　　　가장 큰 수 (　　　　　　)

08　$♥ \div 19 = ☆ \cdots ▲$

가장 작은 수 (　　　　　　)　　　가장 큰 수 (　　　　　　)

09　$♥ \div 12 = ☆ \cdots ▲$

가장 작은 수 (　　　　　　)　　　가장 큰 수 (　　　　　　)

 계산을 하고 검산해 보시오. (01~08)

01

$$23\overline{)485}$$

검산 _____

02

$$25\overline{)352}$$

검산 _____

03

$$19\overline{)685}$$

검산 _____

04

$$23\overline{)510}$$

검산 _____

05

$$47\overline{)848}$$

검산 _____

06

$$66\overline{)995}$$

검산 _____

07

$$26\overline{)599}$$

검산 _____

08

$$48\overline{)770}$$

검산 _____

 □ 안에 알맞은 숫자를 써넣어 나눗셈식을 완성하시오. (09~11)

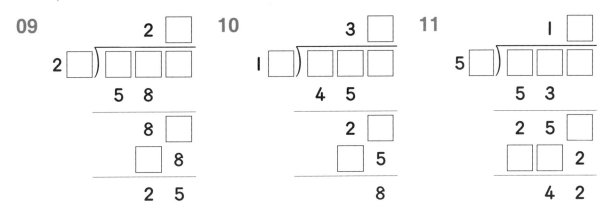

09

10

11

 주어진 나눗셈식에서 ☆이 될 수 있는 숫자를 모두 구하시오. (12~14)

12    $6☆2 \div 21 = 30 \cdots △$ (   )

13    $5☆4 \div 36 = 15 \cdots △$ (   )

14    $7☆3 \div 42 = 18 \cdots △$ (   )

 주어진 나눗셈식에서 ♥는 세 자리 수입니다. ☆이 될 수 있는 수 중 가장 작은 수와 가장 큰 수를 각각 구하시오. (15~16)

15    $♥ \div 18 = ☆ \cdots △$

가장 작은 수 (   )   가장 큰 수 (   )

16    $♥ \div 25 = ☆ \cdots △$

가장 작은 수 (   )   가장 큰 수 (   )

08. 몫이 두 자리 수이고 나머지가 있는 (세 자리 수)÷(두 자리 수)의 계산   **67**

09 수의 규칙(1)

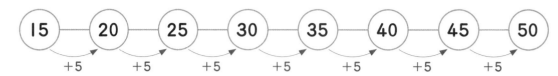

➡ **5**씩 커지는 규칙입니다.

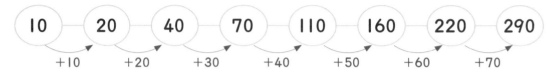

➡ 수가 **10, 20, 30** …… 씩 커지는 규칙입니다.

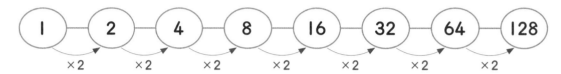

➡ **1**부터 시작하여 **2**씩 곱해진 수가 오른쪽에 있습니다.

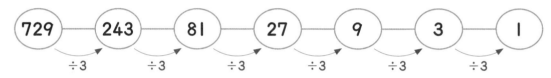

➡ **729**에서부터 **3**으로 나누어 다음에 쓰는 규칙입니다.

 수 배열의 규칙에 맞게 빈칸에 들어갈 수를 써넣으시오. (01~04)

01 125 — 135 — 145 — ⬚ — ⬚ — ⬚ — ⬚

02 270 — 281 — 292 — ⬚ — ⬚ — ⬚ — ⬚

03 763 — 756 — 749 — ⬚ — ⬚ — ⬚ — ⬚

04 865 — 850 — 835 — ⬚ — ⬚ — ⬚ — ⬚

수 배열의 규칙에 맞게 빈칸에 들어갈 수를 써넣으시오. (05~08)

05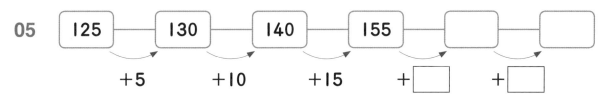

125 — 130 — 140 — 155 — ☐ — ☐

+5   +10   +15   +☐   +☐

06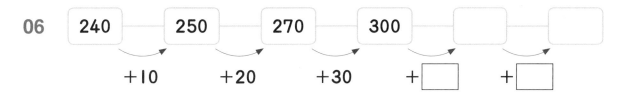

240 — 250 — 270 — 300 — ☐ — ☐

+10   +20   +30   +☐   +☐

07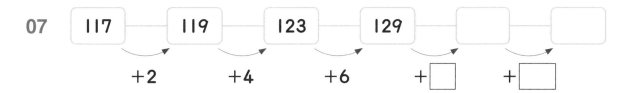

117 — 119 — 123 — 129 — ☐ — ☐

+2   +4   +6   +☐   +☐

08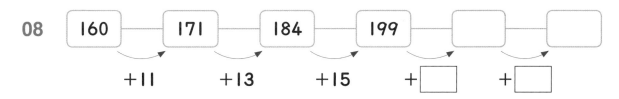

160 — 171 — 184 — 199 — ☐ — ☐

+11   +13   +15   +☐   +☐

 수 배열의 규칙에 맞게 빈칸에 들어갈 수를 써넣으시오. (09~12)

09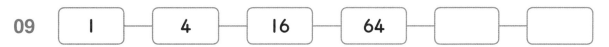

1 — 4 — 16 — 64 — ☐ — ☐

10

1 — 6 — 36 — 216 — ☐ — ☐

11

3125 — 625 — 125 — ☐ — ☐ — ☐

12

128 — 64 — 32 — ☐ — ☐ — ☐

사고력 기르기

 규칙에 따라 수를 늘어놓았습니다. 몇 번째에 어떤 수가 오는지 구하시오. (01~07)

01 1, 4, 7, 10, 13, 16, 19, 22 ……

100번째의 수 ➡ (   )

02 3, 7, 11, 15, 19, 23, 27, 31 ……

201번째의 수 ➡ (   )

03 2, 8, 14, 20, 26, 32, 38, 44 ……

85번째의 수 ➡ (   )

04 13, 20, 27, 34, 41, 48, 55, 62 ……

61번째의 수 ➡ (   )

05 18, 29, 40, 51, 62, 73, 84, 95 ……

70번째의 수 ➡ (   )

06 21, 41, 61, 81, 101, 121, 141 ……

90번째의 수 ➡ (   )

07 5, 38, 71, 104, 137, 170, 203 ……

52번째의 수 ➡ (   )

규칙에 따라 수를 늘어놓았습니다. 늘어놓은 수를 보고 물음에 답하시오. (08~13)

> 2, 5, 8, 11, 14, 17, 20 ……

08 10번째에 올 수를 구하시오.

(   )

09 10번째 수까지의 합을 구하시오.

(   )

10 25번째에 올 수를 구하시오.

(   )

11 25번째 수까지의 합을 구하시오.

(   )

12 50번째 수까지의 합을 구하시오.

(   )

13 100번째 수까지의 합을 구하시오.

(   )

보기 를 참고하여 물음에 답하시오. (01~04)

> 보기
>
> • 1부터 연속된 홀수 10개의 합을 구하는 방법
>
> $$1+3+5+7+9+\cdots\cdots$$
>
> 방법 1 10번째의 홀수는 $1+2\times9=19$이므로 구하는 합은
> $(1+19)\times10\div2=100$입니다.
>
> 방법 2 규칙을 이용하여 합을 구합니다.
>
> $1+3=4 \Rightarrow 2\times2$
> $1+3+5=9 \Rightarrow 3\times3$ ─── 더한 홀수의 개수를 2번 곱하면
> $1+3+5+7=16 \Rightarrow 4\times4$ ─── 합을 구할 수 있습니다.
> $\vdots \qquad \vdots$
>
> 따라서 1부터 연속된 홀수 10개의 합은 $10\times10=100$입니다.

01 1부터 연속된 홀수 20개의 합을 2가지 방법으로 구해 보시오.

방법 1 _____

방법 2 _____

02 홀수를 1부터 차례로 늘어놓았을 때 11번째 홀수부터 20번째 홀수까지의 합을 구하시오.

(   )

03 홀수를 1부터 차례로 늘어놓았을 때 25번째 홀수부터 60번째 홀수까지의 합을 구하시오.

(   )

04 홀수를 1부터 차례로 더했더니 900이 되었습니다. 몇 번째 홀수까지 더한 것입니까?

(   )

를 참고하여 물음에 답하시오. (05~08)

> **보기**
>
> • 2부터 연속된 짝수 10개의 합을 구하는 방법
>
> $$2+4+6+8+10+\cdots\cdots$$
>
> **방법 1** 10번째의 짝수는 $2+2\times9=20$이므로 구하는 합은
> $(2+20)\times10\div2=110$입니다.
>
> **방법 2** 규칙을 이용하여 합을 구합니다.
>
> $2+4=6 \ \Rightarrow\ 2\times3$
> $2+4+6=12 \ \Rightarrow\ 3\times4$ ← 더한 짝수의 개수와 그 보다 1
> $2+4+6+8=20 \ \Rightarrow\ 4\times5$ ← 큰 수를 곱하여 합을 구합니다.
> $\vdots \qquad\qquad \vdots$
>
> 따라서 2부터 연속된 짝수 10개의 합은 $10\times11=110$입니다.

05 2부터 연속된 짝수 20개의 합을 2가지 방법으로 구해 보시오.

방법 1 _____

방법 2 _____

06 짝수를 2부터 차례로 늘어놓았을 때 11번째 짝수부터 20번째 짝수까지의 합을 구하시오.

(   )

07 짝수를 2부터 차례로 늘어놓았을 때 55번째 짝수부터 99번째 짝수까지의 합을 구하시오.

(   )

08 짝수를 2부터 차례로 더했더니 2550이 되었습니다. 몇 번째 짝수까지 더한 것입니까?

(   )

 수 배열의 규칙에 맞게 빈칸에 들어갈 수를 써넣으시오. (01~08)

01 170 — 190 — 210 — ☐ — ☐ — ☐ — ☐

02 195 — 220 — 245 — ☐ — ☐ — ☐ — ☐

03 697 — 688 — 679 — ☐ — ☐ — ☐ — ☐

04 864 — 852 — 840 — ☐ — ☐ — ☐ — ☐

05 123 — 223 — 423 — 723 — ☐ — ☐

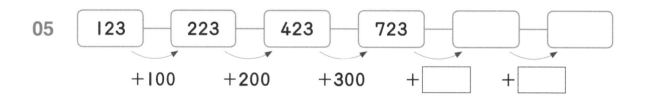

+100　　+200　　+300　　+☐　　+☐

06 350 — 400 — 500 — 650 — ☐ — ☐

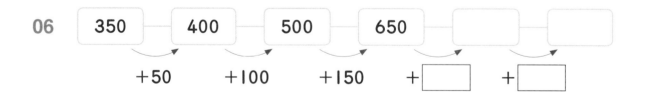

+50　　+100　　+150　　+☐　　+☐

07 2 — 4 — 8 — 16 — ☐ — ☐ — ☐

08 2187 — 729 — 243 — 81 — ☐ — ☐ — ☐

규칙에 따라 수를 늘어놓았습니다. 몇 번째에 어떤 수가 오는지 구하시오. (09~11)

09

1, 5, 9, 13, 17, 21, 25, 29 ……

100번째의 수 ➡ (   )

10

4, 7, 10, 13, 16, 19, 22, 25 ……

121번째의 수 ➡ (   )

11

5, 11, 17, 23, 29, 35, 41, 47 ……

303번째의 수 ➡ (   )

규칙에 따라 수를 늘어놓았습니다. 늘어놓은 수를 보고 물음에 답하시오. (12~14)

12, 19, 26, 33, 40, 47, 54 ……

12 51번째에 올 수를 구하시오.

(   )

13 51번째 수까지의 합을 구하시오.

(   )

14 103번째 수까지의 합을 구하시오.

(   )

10 수의 규칙(2)

개념

1. 곱셈식에서 규칙을 찾아보기

$$125 \times 4 = 500$$
$$125 \times 8 = 1000$$
$$125 \times 12 = 1500$$
$$125 \times 16 = 2000$$

➡ 곱하는 수가 2배, 3배, 4배 …… 씩 커지면 곱은 2배, 3배, 4배 …… 씩 커집니다.

2. 나눗셈식에서 규칙을 찾아보기

$$100 \div 4 = 25$$
$$200 \div 8 = 25$$
$$300 \div 12 = 25$$
$$400 \div 16 = 25$$

➡ 나뉠 수가 2배, 3배, 4배 …… 씩 커지고 나누는 수가 2배, 3배, 4배 …… 씩 커지면 그 몫은 모두 똑같습니다.

3. 수 배열표에서 규칙적인 계산식을 찾아보기

12	13	14	15	16
17	18	19	20	21

- $12 + 18 = 13 + 17$, $13 + 19 = 14 + 18$, $14 + 20 = 15 + 19$
- $12 + 13 + 14 = 13 \times 3$, $13 + 14 + 15 = 14 \times 3$, $14 + 15 + 16 = 15 \times 3$

 계산식 배열의 규칙에 맞게 빈칸에 들어갈 식을 써넣으시오. (01~04)

01
$$101 \times 11 = 1111$$
$$101 \times 22 = 2222$$
$$101 \times 33 = 3333$$
$$101 \times 44 = 4444$$

02
$$150 \times 4 = 600$$
$$300 \times 4 = 1200$$
$$450 \times 4 = 1800$$
$$600 \times 4 = 2400$$

03
$$7 \times 102 = 714$$
$$7 \times 1002 = 7014$$
$$7 \times 10002 = 70014$$

$$7 \times 1000002 = 7000014$$

04
$$1 \times 1 = 1$$
$$11 \times 11 = 121$$
$$111 \times 111 = 12321$$

$$11111 \times 11111 = 123454321$$

계산식 배열의 규칙에 맞게 빈칸에 들어갈 식을 써넣으시오. (05~08)

05
$$111 \div 3 = 37$$
$$222 \div 6 = 37$$
$$333 \div 9 = 37$$
$$444 \div 12 = 37$$

$$\boxed{}$$

06
$$150 \div 25 = 6$$
$$300 \div 25 = 12$$
$$450 \div 25 = 18$$
$$600 \div 25 = 24$$

$$\boxed{}$$

07
$$720 \div 2 = 360$$
$$720 \div 4 = 180$$
$$720 \div 6 = 120$$

$$\boxed{}$$

$$720 \div 10 = 72$$

08
$$1111 \div 11 = 101$$
$$2222 \div 11 = 202$$
$$3333 \div 11 = 303$$

$$\boxed{}$$

$$5555 \div 11 = 505$$

 수 배열표에서 규칙적인 계산식을 찾아 □ 안에 알맞은 수를 써넣으시오. (09~10)

125	126	127	128	129	130	131	132	133	134
135	136	137	138	139	140	141	142	143	144
145	146	147	148	149	150	151	152	153	154
155	156	157	158	159	160	161	162	163	164

09
$$125 + 136 + 147 = 127 + 136 + \boxed{}$$
$$126 + 137 + 148 = 128 + \boxed{} + 146$$
$$127 + 138 + 149 = \boxed{} + 138 + 147$$

10
$$145 + 146 + 147 = 146 \times \boxed{}$$
$$146 + 147 + 148 = 147 \times \boxed{}$$
$$147 + 148 + 149 = \boxed{} \times 3$$
$$148 + 149 + 150 = \boxed{} \times 3$$

 수 배열표를 보고 물음에 답하시오. (01~04)

1	2	3	4	5	6	7	8	9
10	11	12	13	14	15	16	17	18
19	20	21	22	23	24	25	26	27
28	29	30	31	32	33	34	35	36
37	38	39	40	41	42	43	44	45
⋮	⋮	⋮	⋮	⋮	⋮	⋮	⋮	⋮

01 빨간색 선으로 둘러싸인 5개의 수의 합은 55입니다. 이와 같은 모양으로 둘러싸인 5개의 수의 합이 285일 때, 5개의 수 중 가장 큰 수를 구하시오.

(   )

02 초록색 선으로 둘러싸인 9개의 수의 합은 288입니다. 이와 같은 모양으로 둘러싸인 9개의 수의 합이 450일 때, 9개의 수 중 가장 작은 수를 구하시오.

(   )

03 수 배열표에서 색칠한 8개의 수의 합은 136입니다. 이와 같은 모양으로 색칠한 8개의 수의 합이 480일 때, 색칠한 수로 둘러싸인 한 가운데 수는 얼마인지 구하시오.

(   )

04 수 배열표에서와 같은 모양으로 색칠한 8개의 수의 합이 528일 때, 8개의 수 중 가장 큰 수를 구하시오.

(   )

다음 그림과 같이 탁자를 한 줄로 붙여서 의자를 놓으려고 합니다. 보기 를 참고하여 물음에 답하시오. (05~07)

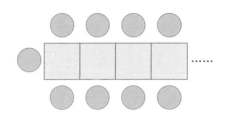

보기

• 탁자 10개를 한 줄로 붙일 때 필요한 의자 수 구하는 방법

방법 1   필요한 의자 수는 탁자가 1개일 때 4개, 탁자가 2개일 때 6개, 탁자가 3개일 때 8개……에서 탁자가 1개일 때 2×2, 탁자가 2개일 때 2×3, 탁자가 3개일 때 2×4……이므로 탁자가 10개일 때 의자 수는 $2 \times 11 = 22$(개)입니다.

방법 2   탁자를 10개 붙이면 의자를 왼쪽과 오른쪽에 1개씩, 위쪽과 아래쪽에 10개씩 놓을 수 있으므로 의자 수는 $2 + 10 \times 2 = 22$(개)입니다.

방법 3   탁자 10개를 붙이지 않았을 경우 필요한 의자 수는 $4 \times 10 = 40$(개)이고, 탁자끼리 붙는 부분 9군데는 의자를 놓지 않으므로 실제 필요한 의자 수는 $40 - 9 \times 2 = 22$(개)입니다.

05   탁자 20개를 한 줄로 붙일 때 필요한 의자 수를 3가지 방법으로 구해 보시오.

방법 1 _____

방법 2 _____

방법 3 _____

06   탁자 30개를 한 줄로 붙일 때 필요한 의자 수를 구하시오.

(   )

07   탁자 100개를 한 줄로 붙일 때 필요한 의자 수를 구하시오.

(   )

다음과 같이 규칙적으로 수를 늘어놓았습니다. 이 표에서 2행 3열의 수는 6, 3행 4열의 수는 12입니다. 물음에 답하시오. (01~05)

	1열	2열	3열	4열	5열
1행	1	2	5	10	17
2행	4	3	6	11	18
3행	9	8	7	12	19
4행	16	15	14	13	20

······

01 7행 3열의 수를 구하시오.

(   )

02 9행 7열의 수를 구하시오.

(   )

03 20행 12열의 수를 구하시오.

(   )

04 2행 10열의 수를 구하시오.

(   )

05 3행 21열의 수를 구하시오.

(   )

주어진 계산식을 보고 물음에 답하시오. (06~07)

$$2 \times 2 = 4$$
$$2 \times 2 \times 2 = 8$$
$$2 \times 2 \times 2 \times 2 = 16$$
$$2 \times 2 \times 2 \times 2 \times 2 = 32$$
$$2 \times 2 \times 2 \times 2 \times 2 \times 2 = 64$$

06 2를 20번 곱했을 때, 곱의 일의 자리 숫자는 무엇인지 구하시오.

(   )

07 2를 30번 곱했을 때, 곱의 일의 자리 숫자는 무엇인지 구하시오.

(   )

08 3을 50번 곱했을 때, 곱의 일의 자리 숫자는 무엇인지 구하시오.

(   )

09 4를 71번 곱했을 때, 곱의 일의 자리 숫자는 무엇인지 구하시오.

(   )

10 7을 91번 곱했을 때, 곱의 일의 자리 숫자는 무엇인지 구하시오.

(   )

실력 점검

 계산식 배열의 규칙에 맞게 빈칸에 들어갈 식을 써넣으시오. (01~04)

01
$180 \times 5 = 900$
$180 \times 10 = 1800$
$180 \times 15 = 2700$
$180 \times 20 = 3600$

☐

☐

02
$3 \times 107 = 321$
$3 \times 1007 = 3021$
$3 \times 10007 = 30021$
$3 \times 100007 = 300021$

☐

☐

03
$200 \div 25 = 8$
$400 \div 25 = 16$
$600 \div 25 = 24$
$800 \div 25 = 32$

☐

☐

04
$111111 \div 7 = 15873$
$222222 \div 14 = 15873$
$333333 \div 21 = 15873$
$444444 \div 28 = 15873$

☐

☐

 수 배열표에서 규칙적인 계산식을 찾아 빈칸에 알맞은 식을 써넣으시오. (05~06)

245	246	247	248	249	250	251	252	253
254	255	256	257	258	259	260	261	262

05
$245 + 255 = 246 + 254$
$246 + 256 = 247 + 255$
$247 + 257 = 248 + 256$

☐

☐

06
$254 + 255 + 256 = 255 \times 3$
$255 + 256 + 257 = 256 \times 3$
$256 + 257 + 258 = 257 \times 3$

☐

☐

 수 배열표를 보고 물음에 답하시오. (07~09)

1	2	3	4	5	6	7	8	9
10	11	12	13	14	15	16	17	18
19	20	21	22	23	24	25	26	27
28	29	30	31	32	33	34	35	36
37	38	39	40	41	42	43	44	45
⋮	⋮	⋮	⋮	⋮	⋮	⋮	⋮	⋮

07 빨간색 선으로 둘러싸인 **5**개의 수의 합은 **55**입니다. 이와 같은 모양으로 둘러싸인 **5**개의 수의 합이 **300**일 때, **5**개의 수 중 가장 큰 수를 구하시오.

(   )

08 초록색 선으로 둘러싸인 **9**개의 수의 합은 **288**입니다. 이와 같은 모양으로 둘러싸인 **9**개의 수의 합이 **594**일 때, **9**개의 수 중 가장 작은 수를 구하시오.

(   )

09 수 배열표에서 색칠한 **8**개의 수의 합은 **136**입니다. 이와 같은 모양으로 색칠한 **8**개의 수의 합이 **560**일 때, 색칠한 수로 둘러싸인 한 가운데 수는 얼마인지 구하시오.

(   )

10 **3**을 **100**번 곱했을 때, 곱의 일의 자리 숫자는 무엇인지 구하시오.

(   )

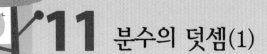

11 분수의 덧셈(1)

개념

❖ (진분수)+(진분수)의 계산

• $\dfrac{2}{7}+\dfrac{3}{7}$의 계산

$$\dfrac{2}{7}+\dfrac{3}{7}=\dfrac{2+3}{7}=\dfrac{5}{7}$$

• $\dfrac{3}{5}+\dfrac{4}{5}$의 계산

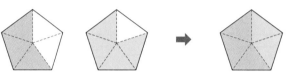

$$\dfrac{3}{5}+\dfrac{4}{5}=\dfrac{3+4}{5}=\dfrac{7}{5}=1\dfrac{2}{5}$$

 ☐ 안에 알맞은 수를 써넣으시오. (01~03)

01 $\dfrac{2}{9}$는 $\dfrac{1}{9}$이 ☐개, $\dfrac{4}{9}$는 $\dfrac{1}{9}$이 ☐개 ➡ $\dfrac{2}{9}+\dfrac{4}{9}$는 $\dfrac{1}{9}$이 ☐개

➡ $\dfrac{2}{9}+\dfrac{4}{9}=\dfrac{☐}{9}$

02 $\dfrac{3}{8}$은 $\dfrac{1}{8}$이 ☐개, $\dfrac{7}{8}$은 $\dfrac{1}{8}$이 ☐개 ➡ $\dfrac{3}{8}+\dfrac{7}{8}$은 $\dfrac{1}{8}$이 ☐개

➡ $\dfrac{3}{8}+\dfrac{7}{8}=\dfrac{☐}{8}=1\dfrac{☐}{8}$

03 $\dfrac{5}{7}$는 $\dfrac{1}{7}$이 ☐개, $\dfrac{6}{7}$은 $\dfrac{1}{7}$이 ☐개 ➡ $\dfrac{5}{7}+\dfrac{6}{7}$은 $\dfrac{1}{7}$이 ☐개

➡ $\dfrac{5}{7}+\dfrac{6}{7}=\dfrac{☐}{7}=☐\dfrac{☐}{7}$

□ 안에 알맞은 수를 써넣으시오. (04~11)

04 $\dfrac{1}{3}+\dfrac{1}{3}=\dfrac{\square+\square}{3}=\dfrac{\square}{3}$

05 $\dfrac{2}{5}+\dfrac{1}{5}=\dfrac{\square+\square}{5}=\dfrac{\square}{5}$

06 $\dfrac{2}{8}+\dfrac{5}{8}=\dfrac{\square+\square}{8}=\dfrac{\square}{8}$

07 $\dfrac{4}{9}+\dfrac{3}{9}=\dfrac{\square+\square}{9}=\dfrac{\square}{9}$

08 $\dfrac{3}{4}+\dfrac{2}{4}=\dfrac{\square+\square}{4}$
$=\dfrac{\square}{4}=\square\dfrac{\square}{4}$

09 $\dfrac{6}{7}+\dfrac{4}{7}=\dfrac{\square+\square}{7}$
$=\dfrac{\square}{7}=\square\dfrac{\square}{7}$

10 $\dfrac{7}{10}+\dfrac{8}{10}=\dfrac{\square+\square}{10}$
$=\dfrac{\square}{10}=\square\dfrac{\square}{10}$

11 $\dfrac{4}{11}+\dfrac{9}{11}=\dfrac{\square+\square}{11}$
$=\dfrac{\square}{11}=\square\dfrac{\square}{11}$

 계산을 하시오. (12~19)

12 $\dfrac{4}{9}+\dfrac{1}{9}$

13 $\dfrac{1}{6}+\dfrac{4}{6}$

14 $\dfrac{7}{10}+\dfrac{2}{10}$

15 $\dfrac{7}{13}+\dfrac{5}{13}$

16 $\dfrac{2}{3}+\dfrac{2}{3}$

17 $\dfrac{7}{8}+\dfrac{2}{8}$

18 $\dfrac{9}{11}+\dfrac{5}{11}$

19 $\dfrac{11}{15}+\dfrac{10}{15}$

사고력 기르기

Step 1

01 주어진 덧셈식에서 ♥, ★, ▲는 8보다 작은 자연수이고, ★은 ♥보다 큽니다. 이와 같은 조건을 만족하는 분수의 덧셈식을 모두 만드시오.

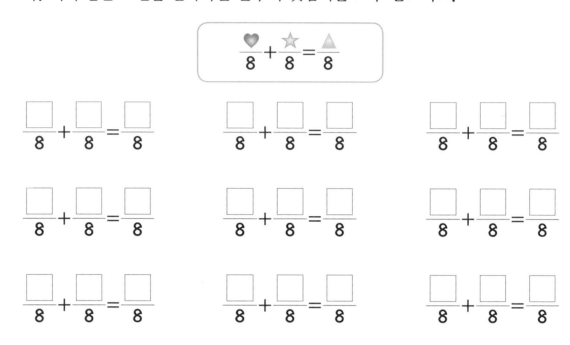

$$\frac{♥}{8}+\frac{★}{8}=\frac{▲}{8}$$

$$\frac{\square}{8}+\frac{\square}{8}=\frac{\square}{8} \qquad \frac{\square}{8}+\frac{\square}{8}=\frac{\square}{8} \qquad \frac{\square}{8}+\frac{\square}{8}=\frac{\square}{8}$$

$$\frac{\square}{8}+\frac{\square}{8}=\frac{\square}{8} \qquad \frac{\square}{8}+\frac{\square}{8}=\frac{\square}{8} \qquad \frac{\square}{8}+\frac{\square}{8}=\frac{\square}{8}$$

$$\frac{\square}{8}+\frac{\square}{8}=\frac{\square}{8} \qquad \frac{\square}{8}+\frac{\square}{8}=\frac{\square}{8} \qquad \frac{\square}{8}+\frac{\square}{8}=\frac{\square}{8}$$

02 주어진 덧셈식에서 ♥, ★, ▲는 한 자리 자연수이고, ♥는 ★보다 작거나 같습니다. 이와 같은 조건을 만족하는 분수의 덧셈식을 모두 만드시오.

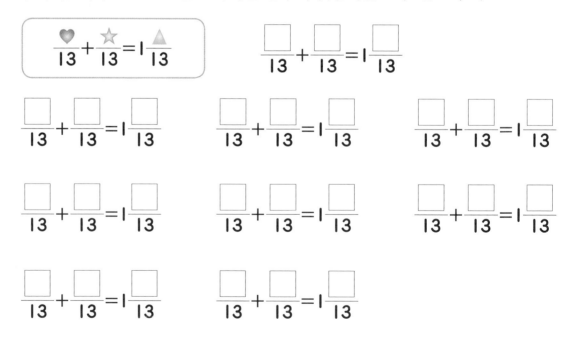

$$\frac{♥}{13}+\frac{★}{13}=1\frac{▲}{13} \qquad \frac{\square}{13}+\frac{\square}{13}=1\frac{\square}{13}$$

$$\frac{\square}{13}+\frac{\square}{13}=1\frac{\square}{13} \qquad \frac{\square}{13}+\frac{\square}{13}=1\frac{\square}{13} \qquad \frac{\square}{13}+\frac{\square}{13}=1\frac{\square}{13}$$

$$\frac{\square}{13}+\frac{\square}{13}=1\frac{\square}{13} \qquad \frac{\square}{13}+\frac{\square}{13}=1\frac{\square}{13} \qquad \frac{\square}{13}+\frac{\square}{13}=1\frac{\square}{13}$$

$$\frac{\square}{13}+\frac{\square}{13}=1\frac{\square}{13} \qquad \frac{\square}{13}+\frac{\square}{13}=1\frac{\square}{13}$$

두 진분수의 합과 대분수의 크기를 비교한 것입니다. □ 안에 들어갈 수 있는 자연수는 모두 몇 개인지 구하시오. (03~06)

03
$$\frac{13}{18} + \frac{\square}{18} > 1\frac{3}{18}$$

(   )

04
$$\frac{18}{25} + \frac{\square}{25} > 1\frac{1}{25}$$

(   )

05
$$\frac{\square}{11} + \frac{9}{11} < 1\frac{3}{11}$$

(   )

06
$$\frac{\square}{30} + \frac{7}{30} < 1\frac{8}{30}$$

(   )

 □ 안에 넣을 수 있는 수는 분모보다 작습니다. □ 안에 들어갈 수 있는 자연수를 모두 구하시오. (07~10)

07
$$5 + \frac{\square}{9} > \frac{51}{9}$$

(   )

08
$$7 + \frac{\square}{10} > \frac{75}{10}$$

(   )

09
$$\frac{\square}{21} + 3 < \frac{68}{21}$$

(   )

10
$$\frac{\square}{12} + 2 < \frac{30}{12}$$

(   )

11 다음 그림에서 가로의 세 분수의 합은 세로의 세 분수의 합과 같습니다. 나부분에 알맞은 분수를 구하시오.

	$\frac{2}{7}$	
$\frac{1}{7}$	가	나
	$\frac{3}{7}$	

(   )

사고력 기르기

Step 2

 기호 ♥를 아래와 같이 약속할 때 다음을 구하시오. (01~08)

$$\dfrac{나}{가} \heartsuit \dfrac{다}{가} = \dfrac{3}{가} + \dfrac{나}{가} + \dfrac{다}{가}$$

01 $\dfrac{5}{8} \heartsuit \dfrac{4}{8}$ (   )

02 $\dfrac{2}{9} \heartsuit \dfrac{5}{9}$ (   )

03 $\dfrac{7}{12} \heartsuit \dfrac{1}{12}$ (   )

04 $\dfrac{6}{15} \heartsuit \dfrac{11}{15}$ (   )

05 $\left(\dfrac{4}{25} \heartsuit \dfrac{7}{25}\right) \heartsuit \dfrac{2}{25}$ (   )

06 $\left(\dfrac{8}{30} \heartsuit \dfrac{15}{30}\right) \heartsuit \dfrac{5}{30}$ (   )

07 $\dfrac{15}{42} \heartsuit \left(\dfrac{7}{42} \heartsuit \dfrac{9}{42}\right)$ (   )

08 $\dfrac{21}{39} \heartsuit \left(\dfrac{20}{39} \heartsuit \dfrac{12}{39}\right)$ (   )

 다음을 계산하시오. (09~12)

09 $\dfrac{1}{10} + \dfrac{2}{10} + \dfrac{3}{10} + \dfrac{4}{10} + \cdots\cdots + \dfrac{9}{10}$ (   )

10 $\dfrac{1}{20} + \dfrac{2}{20} + \dfrac{3}{20} + \dfrac{4}{20} + \cdots\cdots + \dfrac{19}{20}$ (   )

11 $\dfrac{1}{25} + \dfrac{2}{25} + \dfrac{3}{25} + \dfrac{4}{25} + \cdots\cdots + \dfrac{24}{25}$ (   )

12 $\dfrac{1}{50} + \dfrac{2}{50} + \dfrac{3}{50} + \dfrac{4}{50} + \cdots\cdots + \dfrac{49}{50}$ (   )

주어진 조건에 맞는 여러 가지 덧셈식을 만들어 보시오. (13~15)

> • ♥, ★, ▲는 분모보다 작은 서로 다른 자연수입니다.
> • ★−♥=▲−★입니다.

13 $\dfrac{♥}{12}+\dfrac{★}{12}+\dfrac{▲}{12}=1\dfrac{9}{12}$

$\dfrac{\Box}{12}+\dfrac{\Box}{12}+\dfrac{\Box}{12}=1\dfrac{9}{12}$ $\dfrac{\Box}{12}+\dfrac{\Box}{12}+\dfrac{\Box}{12}=1\dfrac{9}{12}$

$\dfrac{\Box}{12}+\dfrac{\Box}{12}+\dfrac{\Box}{12}=1\dfrac{9}{12}$ $\dfrac{\Box}{12}+\dfrac{\Box}{12}+\dfrac{\Box}{12}=1\dfrac{9}{12}$

14 $\dfrac{♥}{15}+\dfrac{★}{15}+\dfrac{▲}{15}=2\dfrac{3}{15}$

$\dfrac{\Box}{15}+\dfrac{\Box}{15}+\dfrac{\Box}{15}=2\dfrac{3}{15}$ $\dfrac{\Box}{15}+\dfrac{\Box}{15}+\dfrac{\Box}{15}=2\dfrac{3}{15}$

$\dfrac{\Box}{15}+\dfrac{\Box}{15}+\dfrac{\Box}{15}=2\dfrac{3}{15}$ $\dfrac{\Box}{15}+\dfrac{\Box}{15}+\dfrac{\Box}{15}=2\dfrac{3}{15}$

15 $\dfrac{♥}{20}+\dfrac{★}{20}+\dfrac{▲}{20}=2\dfrac{5}{20}$

$\dfrac{\Box}{20}+\dfrac{\Box}{20}+\dfrac{\Box}{20}=2\dfrac{5}{20}$ $\dfrac{\Box}{20}+\dfrac{\Box}{20}+\dfrac{\Box}{20}=2\dfrac{5}{20}$

$\dfrac{\Box}{20}+\dfrac{\Box}{20}+\dfrac{\Box}{20}=2\dfrac{5}{20}$ $\dfrac{\Box}{20}+\dfrac{\Box}{20}+\dfrac{\Box}{20}=2\dfrac{5}{20}$

실력 점검

 □ 안에 알맞은 수를 써넣으시오. (01~06)

01 $\dfrac{3}{5}$은 $\dfrac{1}{5}$이 □개, $\dfrac{1}{5}$은 $\dfrac{1}{5}$이 □개 ➡ $\dfrac{3}{5}+\dfrac{1}{5}$은 $\dfrac{1}{5}$이 □개

➡ $\dfrac{3}{5}+\dfrac{1}{5}=\dfrac{\square}{5}$

02 $\dfrac{5}{8}$는 $\dfrac{1}{8}$이 □개, $\dfrac{4}{8}$는 $\dfrac{1}{8}$이 □개 ➡ $\dfrac{5}{8}+\dfrac{4}{8}$는 $\dfrac{1}{8}$이 □개

➡ $\dfrac{5}{8}+\dfrac{4}{8}=\dfrac{\square}{8}=1\dfrac{\square}{8}$

03 $\dfrac{2}{7}+\dfrac{3}{7}=\dfrac{\square+\square}{7}=\dfrac{\square}{7}$

04 $\dfrac{3}{10}+\dfrac{5}{10}=\dfrac{\square+\square}{10}=\dfrac{\square}{10}$

05 $\dfrac{5}{6}+\dfrac{4}{6}=\dfrac{\square+\square}{6}$

$=\dfrac{\square}{6}=\square\dfrac{\square}{6}$

06 $\dfrac{7}{11}+\dfrac{8}{11}=\dfrac{\square+\square}{11}$

$=\dfrac{\square}{11}=\square\dfrac{\square}{11}$

 계산을 하시오. (07~14)

07 $\dfrac{2}{5}+\dfrac{2}{5}$

08 $\dfrac{3}{7}+\dfrac{1}{7}$

09 $\dfrac{6}{10}+\dfrac{3}{10}$

10 $\dfrac{4}{13}+\dfrac{5}{13}$

11 $\dfrac{4}{6}+\dfrac{3}{6}$

12 $\dfrac{8}{9}+\dfrac{7}{9}$

13 $\dfrac{11}{12}+\dfrac{5}{12}$

14 $\dfrac{10}{15}+\dfrac{7}{15}$

15 주어진 덧셈식에서 ♥, ★, ▲는 한 자리 자연수이고, ♥는 ★보다 작거나 같습니다. 이와 같은 조건을 만족하는 분수의 덧셈식을 모두 만드시오.

$$\frac{♥}{15} + \frac{★}{15} = 1\frac{▲}{15}$$

$$\frac{\square}{15} + \frac{\square}{15} = 1\frac{\square}{15}$$

$$\frac{\square}{15} + \frac{\square}{15} = 1\frac{\square}{15}$$

$$\frac{\square}{15} + \frac{\square}{15} = 1\frac{\square}{15}$$

$$\frac{\square}{15} + \frac{\square}{15} = 1\frac{\square}{15}$$

두 진분수의 합과 대분수의 크기를 비교한 것입니다. □ 안에 들어갈 수 있는 자연수는 모두 몇 개인지 구하시오. (16~19)

16
$$\frac{9}{15} + \frac{\square}{15} > 1\frac{3}{15}$$

( )

17
$$\frac{21}{24} + \frac{\square}{24} > 1\frac{1}{24}$$

( )

18
$$\frac{\square}{12} + \frac{9}{12} < 1\frac{5}{12}$$

( )

19
$$\frac{\square}{31} + \frac{11}{31} < 1\frac{8}{31}$$

( )

20 주어진 조건에 맞는 덧셈식을 만들어 보시오.

- ♥, ★, ▲는 분모보다 작은 서로 다른 자연수입니다.
- ★ − ♥ = ▲ − ★ 입니다.

$$\frac{♥}{8} + \frac{★}{8} + \frac{▲}{8} = 1\frac{7}{8}$$

$$\frac{\square}{8} + \frac{\square}{8} + \frac{\square}{8} = 1\frac{7}{8}$$

$$\frac{\square}{8} + \frac{\square}{8} + \frac{\square}{8} = 1\frac{7}{8}$$

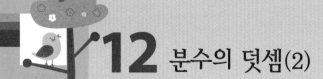

12 분수의 덧셈(2)

개념

1. (대분수)+(자연수), (자연수)+(대분수)의 계산

분수 부분은 그대로 쓰고, 자연수끼리 더합니다.

예 $2\dfrac{1}{4}+3=(2+3)+\dfrac{1}{4}=5+\dfrac{1}{4}=5\dfrac{1}{4}$

$\quad\,\, 2+1\dfrac{1}{3}=(2+1)+\dfrac{1}{3}=3+\dfrac{1}{3}=3\dfrac{1}{3}$

2. (대분수)+(진분수), (진분수)+(대분수)의 계산

자연수는 그대로 쓰고, 진분수 부분끼리 더합니다. 이때 진분수 부분끼리의 합이 가분수이면 대분수로 고쳐서 자연수와 더해 줍니다.

예 $1\dfrac{2}{3}+\dfrac{2}{3}=1+\left(\dfrac{2}{3}+\dfrac{2}{3}\right)=1+\dfrac{4}{3}=1+1\dfrac{1}{3}=2\dfrac{1}{3}$

$\quad\,\, \dfrac{3}{5}+2\dfrac{4}{5}=2+\left(\dfrac{3}{5}+\dfrac{4}{5}\right)=2+\dfrac{7}{5}=2+1\dfrac{2}{5}=3\dfrac{2}{5}$

 □ 안에 알맞은 수를 써넣으시오. (01~06)

01 $\quad 3\dfrac{2}{5}+2=(3+\boxed{})+\dfrac{\boxed{}}{5}=\boxed{}+\dfrac{\boxed{}}{5}=\boxed{}\dfrac{\boxed{}}{5}$

02 $\quad 4+3\dfrac{6}{7}=(4+\boxed{})+\dfrac{\boxed{}}{7}=\boxed{}+\dfrac{\boxed{}}{7}=\boxed{}\dfrac{\boxed{}}{7}$

03 $\quad 1\dfrac{1}{5}+\dfrac{2}{5}=1+\left(\dfrac{1}{5}+\dfrac{\boxed{}}{5}\right)=1+\dfrac{\boxed{}}{5}=1\dfrac{\boxed{}}{5}$

04 $\quad 2\dfrac{2}{7}+\dfrac{3}{7}=2+\left(\dfrac{2}{7}+\dfrac{\boxed{}}{7}\right)=2+\dfrac{\boxed{}}{7}=2\dfrac{\boxed{}}{7}$

05 $\quad \dfrac{1}{4}+3\dfrac{2}{4}=3+\left(\dfrac{1}{4}+\dfrac{\boxed{}}{4}\right)=3+\dfrac{\boxed{}}{4}=3\dfrac{\boxed{}}{4}$

06 $\quad \dfrac{3}{8}+2\dfrac{2}{8}=2+\left(\dfrac{3}{8}+\dfrac{\boxed{}}{8}\right)=2+\dfrac{\boxed{}}{8}=2\dfrac{\boxed{}}{8}$

□ 안에 알맞은 수를 써넣으시오. (07~10)

07 $1\dfrac{3}{4}+\dfrac{2}{4}=1+\left(\dfrac{3}{4}+\dfrac{\square}{4}\right)=1+\dfrac{\square}{4}=1+\square\dfrac{\square}{4}=\square\dfrac{\square}{4}$

08 $2\dfrac{4}{5}+\dfrac{3}{5}=2+\left(\dfrac{4}{5}+\dfrac{\square}{5}\right)=2+\dfrac{\square}{5}=2+\square\dfrac{\square}{5}=\square\dfrac{\square}{5}$

09 $\dfrac{3}{8}+3\dfrac{7}{8}=3+\left(\dfrac{\square}{8}+\dfrac{7}{8}\right)=3+\dfrac{\square}{8}=3+\square\dfrac{\square}{8}=\square\dfrac{\square}{8}$

10 $\dfrac{7}{10}+2\dfrac{9}{10}=2+\left(\dfrac{\square}{10}+\dfrac{9}{10}\right)=2+\dfrac{\square}{10}=2+\square\dfrac{\square}{10}=\square\dfrac{\square}{10}$

 계산을 하시오. (11~22)

11 $2\dfrac{3}{7}+4$ **12** $5\dfrac{7}{9}+2$

13 $3+5\dfrac{5}{9}$ **14** $2+3\dfrac{3}{10}$

15 $2\dfrac{2}{7}+\dfrac{3}{7}$ **16** $1\dfrac{2}{5}+\dfrac{1}{5}$

17 $3\dfrac{7}{10}+\dfrac{5}{10}$ **18** $2\dfrac{3}{9}+\dfrac{7}{9}$

19 $\dfrac{4}{8}+3\dfrac{3}{8}$ **20** $\dfrac{1}{6}+4\dfrac{4}{6}$

21 $\dfrac{7}{11}+3\dfrac{8}{11}$ **22** $\dfrac{11}{13}+4\dfrac{5}{13}$

사고력 기르기

 □ 안에 알맞은 수를 써넣어 분수의 덧셈식을 완성하시오. (01~06)

01 $\dfrac{\square}{5} + 1\dfrac{4}{5} = 2\dfrac{2}{5}$

02 $\dfrac{\square}{17} + 2\dfrac{7}{17} = 3\dfrac{3}{17}$

03 $\dfrac{11}{15} + 3\dfrac{\square}{15} = 4\dfrac{2}{15}$

04 $\dfrac{18}{21} + 4\dfrac{\square}{21} = 5\dfrac{6}{21}$

05 $\dfrac{17}{18} + \square\dfrac{8}{18} = 6\dfrac{7}{18}$

06 $9 + 3\dfrac{\square}{8} = \square\dfrac{3}{8}$

 주어진 분수의 덧셈식에서 ♥, ☆, △는 분모보다 작은 자연수입니다. 보기 를 참고하여 ♥와 ☆의 합이 될 수 있는 수 중 가장 작은 수를 구하시오. (07~10)

> **보기**
>
> $\dfrac{♥}{10} + 1\dfrac{☆}{10} = 2\dfrac{△}{10}$ 는 $\dfrac{♥}{10} + 1 + \dfrac{☆}{10} = 1 + 1 + \dfrac{△}{10}$ 와 같으므로
>
> $\dfrac{♥}{10} + \dfrac{☆}{10} = 1 + \dfrac{△}{10}$ 입니다.
>
> 따라서 △=1일 때 ♥와 ☆의 합이 가장 작아지고 그 값은 11입니다.

07 $\boxed{\dfrac{♥}{12} + 2\dfrac{☆}{12} = 3\dfrac{△}{12}}$

( )

08 $\boxed{\dfrac{♥}{15} + 3\dfrac{☆}{15} = 4\dfrac{△}{15}}$

( )

09 $\boxed{4\dfrac{♥}{20} + \dfrac{☆}{20} = 5\dfrac{△}{20}}$

( )

10 $\boxed{5\dfrac{♥}{72} + \dfrac{☆}{72} = 6\dfrac{△}{72}}$

( )

♥는 분모보다 작은 자연수입니다. ♥가 될 수 있는 수를 모두 구하시오. (11~16)

11 $3\dfrac{5}{27} + \dfrac{♥}{27} > 4\dfrac{1}{27}$

(   )

12 $2\dfrac{9}{41} + \dfrac{♥}{41} > 3\dfrac{5}{41}$

(   )

13 $2\dfrac{♥}{15} + \dfrac{11}{15} > 3\dfrac{7}{15}$

(   )

14 $3\dfrac{♥}{19} + \dfrac{13}{19} > 4\dfrac{9}{19}$

(   )

15 $4\dfrac{10}{13} + \dfrac{♥}{13} < 5\dfrac{2}{13}$

(   )

16 $5\dfrac{20}{25} + \dfrac{♥}{25} < 6\dfrac{1}{25}$

(   )

 주어진 식에서 ♥와 ☆은 자연수이고 ☆은 ♥보다 큽니다. 이러한 식을 만족하는 여러 가지 덧셈식을 만들어 보시오. (17~18)

17 $♥ + ☆\dfrac{9}{16} = 12\dfrac{9}{16}$

$\square + \square\dfrac{9}{16} = 12\dfrac{9}{16}$

$\square + \square\dfrac{9}{16} = 12\dfrac{9}{16}$ $\square + \square\dfrac{9}{16} = 12\dfrac{9}{16}$

$\square + \square\dfrac{9}{16} = 12\dfrac{9}{16}$ $\square + \square\dfrac{9}{16} = 12\dfrac{9}{16}$

18 $♥ + ☆\dfrac{7}{20} = 9\dfrac{7}{20}$

$\square + \square\dfrac{7}{20} = 9\dfrac{7}{20}$

$\square + \square\dfrac{7}{20} = 9\dfrac{7}{20}$ $\square + \square\dfrac{7}{20} = 9\dfrac{7}{20}$ $\square + \square\dfrac{7}{20} = 9\dfrac{7}{20}$

주어진 분수의 덧셈식에서 ♥, ■, ▲는 분모보다 작은 서로 다른 자연수입니다. ♥와 ■의 합이 될 수 있는 수 중 가장 큰 수를 구하시오. (01~04)

01
$$\dfrac{♥}{15}+4\dfrac{■}{15}=5\dfrac{▲}{15}$$

(   )

02
$$\dfrac{♥}{9}+3\dfrac{■}{9}=4\dfrac{▲}{9}$$

(   )

03
$$2\dfrac{♥}{12}+\dfrac{■}{12}=3\dfrac{▲}{12}$$

(   )

04
$$6\dfrac{♥}{20}+\dfrac{■}{20}=7\dfrac{▲}{20}$$

(   )

기호 ♥를 아래와 같이 약속할 때 다음을 구하시오. (05~10)

$$가♥나=가+나+5$$

05 $\left(3\dfrac{2}{5}♥\dfrac{1}{5}\right)♥\dfrac{1}{5}$

(   )

06 $\left(\dfrac{3}{7}♥1\dfrac{1}{7}\right)♥\dfrac{2}{7}$

(   )

07 $\dfrac{1}{8}♥\left(\dfrac{2}{8}♥2\dfrac{3}{8}\right)$

(   )

08 $\dfrac{2}{6}♥\left(3\dfrac{1}{6}♥\dfrac{4}{6}\right)$

(   )

09 $\dfrac{4}{9}♥\left(\dfrac{5}{9}♥3\dfrac{3}{9}\right)$

(   )

10 $\dfrac{7}{12}♥\left(5\dfrac{9}{12}♥2\dfrac{5}{12}\right)$

(   )

주어진 조건에 맞는 여러 가지 덧셈식을 만들어 보시오. (11~13)

> • ♥, ★, ■는 분모보다 작은 서로 다른 자연수입니다.
> • ★－♥=■－★입니다.

11

$$1\frac{♥}{8}+\frac{★}{8}+\frac{■}{8}=2\frac{1}{8}$$

$$1\frac{\square}{8}+\frac{\square}{8}+\frac{\square}{8}=2\frac{1}{8} \qquad 1\frac{\square}{8}+\frac{\square}{8}+\frac{\square}{8}=2\frac{1}{8}$$

12

$$2\frac{♥}{12}+\frac{★}{12}+\frac{■}{12}=3\frac{6}{12} \qquad 2\frac{\square}{12}+\frac{\square}{12}+\frac{\square}{12}=3\frac{6}{12}$$

$$2\frac{\square}{12}+\frac{\square}{12}+\frac{\square}{12}=3\frac{6}{12} \qquad 2\frac{\square}{12}+\frac{\square}{12}+\frac{\square}{12}=3\frac{6}{12}$$

$$2\frac{\square}{12}+\frac{\square}{12}+\frac{\square}{12}=3\frac{6}{12} \qquad 2\frac{\square}{12}+\frac{\square}{12}+\frac{\square}{12}=3\frac{6}{12}$$

13

$$3\frac{♥}{15}+\frac{★}{15}+\frac{■}{15}=5\frac{3}{15} \qquad 3\frac{\square}{15}+\frac{\square}{15}+\frac{\square}{15}=5\frac{3}{15}$$

$$3\frac{\square}{15}+\frac{\square}{15}+\frac{\square}{15}=5\frac{3}{15} \qquad 3\frac{\square}{15}+\frac{\square}{15}+\frac{\square}{15}=5\frac{3}{15}$$

 □ 안에 알맞은 수를 써넣으시오. (01~06)

01 $2\dfrac{4}{5}+3=(2+\boxed{})+\dfrac{\boxed{}}{5}=\boxed{}+\dfrac{\boxed{}}{5}=\boxed{}\dfrac{\boxed{}}{5}$

02 $4+1\dfrac{3}{7}=(4+\boxed{})+\dfrac{\boxed{}}{7}=\boxed{}+\dfrac{\boxed{}}{7}=\boxed{}\dfrac{\boxed{}}{7}$

03 $3\dfrac{2}{7}+\dfrac{2}{7}=3+\left(\dfrac{2}{7}+\dfrac{\boxed{}}{7}\right)=3+\dfrac{\boxed{}}{7}=3\dfrac{\boxed{}}{7}$

04 $\dfrac{1}{5}+2\dfrac{3}{5}=2+\left(\dfrac{\boxed{}}{5}+\dfrac{3}{5}\right)=2+\dfrac{\boxed{}}{5}=2\dfrac{\boxed{}}{5}$

05 $5\dfrac{4}{8}+\dfrac{6}{8}=5+\left(\dfrac{4}{8}+\dfrac{\boxed{}}{8}\right)=5+\dfrac{\boxed{}}{8}=5+\boxed{}\dfrac{\boxed{}}{8}=\boxed{}\dfrac{\boxed{}}{8}$

06 $\dfrac{4}{9}+2\dfrac{8}{9}=2+\left(\dfrac{\boxed{}}{9}+\dfrac{8}{9}\right)=2+\dfrac{\boxed{}}{9}=2+\boxed{}\dfrac{\boxed{}}{9}=\boxed{}\dfrac{\boxed{}}{9}$

 계산을 하시오. (07~14)

07 $3\dfrac{3}{10}+5$

08 $6+2\dfrac{7}{11}$

09 $4\dfrac{1}{3}+\dfrac{1}{3}$

10 $\dfrac{3}{9}+4\dfrac{2}{9}$

11 $2\dfrac{4}{8}+\dfrac{5}{8}$

12 $\dfrac{8}{12}+2\dfrac{10}{12}$

13 $3\dfrac{7}{14}+\dfrac{10}{14}$

14 $\dfrac{14}{15}+3\dfrac{9}{15}$

주어진 식에서 ♥는 분모보다 작은 자연수입니다. ♥가 될 수 있는 수를 모두 구하시오.

(15~20)

15
$$3\frac{5}{23}+\frac{♥}{23}>4\frac{1}{23}$$

(   )

16
$$2\frac{9}{30}+\frac{♥}{30}>3\frac{5}{30}$$

(   )

17
$$2\frac{♥}{16}+\frac{13}{16}>3\frac{7}{16}$$

(   )

18
$$3\frac{♥}{19}+\frac{12}{19}>4\frac{8}{19}$$

(   )

19
$$4\frac{29}{33}+\frac{♥}{33}<5\frac{2}{33}$$

(   )

20
$$5\frac{38}{45}+\frac{♥}{45}<6\frac{1}{45}$$

(   )

21 주어진 조건에 맞는 여러 가지 덧셈식을 만들어 보시오.

- ♥, ★, ▲는 분모보다 작은 서로 다른 자연수입니다.
- ★ − ♥ = ■ − ★ 입니다.

$$4\frac{♥}{17}+\frac{★}{17}+\frac{■}{17}=6\frac{2}{17}$$

$$4\frac{\square}{17}+\frac{\square}{17}+\frac{\square}{17}=6\frac{2}{17}$$ $$4\frac{\square}{17}+\frac{\square}{17}+\frac{\square}{17}=6\frac{2}{17}$$

$$4\frac{\square}{17}+\frac{\square}{17}+\frac{\square}{17}=6\frac{2}{17}$$ $$4\frac{\square}{17}+\frac{\square}{17}+\frac{\square}{17}=6\frac{2}{17}$$

개념

❖(대분수)+(대분수)의 계산

• $1\dfrac{5}{6}+2\dfrac{3}{6}$의 계산

방법 1 자연수는 자연수끼리, 분수는 분수끼리 더합니다.

$$1\dfrac{5}{6}+2\dfrac{3}{6}=(1+2)+\left(\dfrac{5}{6}+\dfrac{3}{6}\right)=3+\dfrac{8}{6}=3+1\dfrac{2}{6}=4\dfrac{2}{6}$$

방법 2 대분수를 가분수로 고쳐서 계산합니다.

$$1\dfrac{5}{6}+2\dfrac{3}{6}=\dfrac{11}{6}+\dfrac{15}{6}=\dfrac{26}{6}=4\dfrac{2}{6}$$

□ 안에 알맞은 수를 써넣으시오. (01~07)

01 $\quad 2\dfrac{1}{5}+3\dfrac{2}{5}=(2+\square)+\left(\dfrac{1}{5}+\dfrac{\square}{5}\right)=\square+\dfrac{\square}{5}=\square\dfrac{\square}{5}$

02 $\quad 1\dfrac{1}{3}+2\dfrac{1}{3}=(1+\square)+\left(\dfrac{1}{3}+\dfrac{\square}{3}\right)=\square+\dfrac{\square}{3}=\square\dfrac{\square}{3}$

03 $\quad 3\dfrac{1}{6}+2\dfrac{3}{6}=(\square+2)+\left(\dfrac{\square}{6}+\dfrac{3}{6}\right)=\square+\dfrac{\square}{6}=\square\dfrac{\square}{6}$

04 $\quad 3\dfrac{1}{8}+5\dfrac{3}{8}=(\square+5)+\left(\dfrac{\square}{8}+\dfrac{3}{8}\right)=\square+\dfrac{\square}{8}=\square\dfrac{\square}{8}$

05 $\quad 4\dfrac{3}{7}+1\dfrac{6}{7}=(4+\square)+\left(\dfrac{3}{7}+\dfrac{\square}{7}\right)=\square+\square\dfrac{\square}{7}=\square\dfrac{\square}{7}$

06 $\quad 3\dfrac{3}{5}+2\dfrac{4}{5}=(3+\square)+\left(\dfrac{3}{5}+\dfrac{\square}{5}\right)=\square+\square\dfrac{\square}{5}=\square\dfrac{\square}{5}$

07 $\quad 6\dfrac{4}{9}+2\dfrac{8}{9}=(\square+2)+\left(\dfrac{\square}{9}+\dfrac{8}{9}\right)=\square+\square\dfrac{\square}{9}=\square\dfrac{\square}{9}$

□ 안에 알맞은 수를 써넣으시오. (08~11)

08 $1\dfrac{2}{5}+2\dfrac{1}{5}=\dfrac{\boxed{}}{5}+\dfrac{\boxed{}}{5}=\dfrac{\boxed{}}{5}=\boxed{}\dfrac{\boxed{}}{5}$

09 $2\dfrac{2}{3}+1\dfrac{2}{3}=\dfrac{\boxed{}}{3}+\dfrac{\boxed{}}{3}=\dfrac{\boxed{}}{3}=\boxed{}\dfrac{\boxed{}}{3}$

10 $1\dfrac{3}{9}+2\dfrac{7}{9}=\dfrac{\boxed{}}{9}+\dfrac{\boxed{}}{9}=\dfrac{\boxed{}}{9}=\boxed{}\dfrac{\boxed{}}{9}$

11 $2\dfrac{3}{10}+1\dfrac{8}{10}=\dfrac{\boxed{}}{10}+\dfrac{\boxed{}}{10}=\dfrac{\boxed{}}{10}=\boxed{}\dfrac{\boxed{}}{10}$

 계산을 하시오. (12~23)

12 $4\dfrac{1}{3}+2\dfrac{1}{3}$ 13 $5\dfrac{1}{4}+2\dfrac{2}{4}$

14 $1\dfrac{3}{8}+3\dfrac{4}{8}$ 15 $4\dfrac{1}{6}+2\dfrac{3}{6}$

16 $3\dfrac{5}{9}+2\dfrac{6}{9}$ 17 $4\dfrac{7}{10}+2\dfrac{8}{10}$

18 $4\dfrac{6}{7}+4\dfrac{5}{7}$ 19 $2\dfrac{8}{9}+3\dfrac{7}{9}$

20 $4\dfrac{7}{8}+5\dfrac{3}{8}$ 21 $7\dfrac{3}{4}+1\dfrac{2}{4}$

22 $5\dfrac{7}{11}+2\dfrac{9}{11}$ 23 $6\dfrac{11}{13}+2\dfrac{5}{13}$

 □ 안에 알맞은 숫자를 써넣어 대분수의 덧셈식을 완성하시오. (01~06)

01 $\boxed{}\dfrac{3}{8}+2\dfrac{\boxed{}}{8}=7\dfrac{5}{8}$

02 $\boxed{}\dfrac{4}{10}+6\dfrac{\boxed{}}{10}=9\dfrac{7}{10}$

03 $\boxed{}\dfrac{5}{12}+3\dfrac{\boxed{}}{12}=5\dfrac{9}{12}$

04 $\boxed{}\dfrac{7}{20}+4\dfrac{\boxed{}}{20}=8\dfrac{12}{20}$

05 $1\dfrac{\boxed{}}{5}+\boxed{}\dfrac{3}{5}=4\dfrac{2}{5}$

06 $\boxed{}\dfrac{4}{6}+4\dfrac{4}{6}=8\dfrac{\boxed{}}{6}$

 주어진 대분수의 덧셈식에서 ♥는 ☆보다 크고, ☆은 △보다 큰 수입니다. 조건을 만족하는 여러 가지 덧셈식을 만들어 보시오. (07~09)

07 $\boxed{1\dfrac{♥}{9}+2\dfrac{☆}{9}+3\dfrac{△}{9}=7}$

$1\dfrac{\boxed{}}{9}+2\dfrac{\boxed{}}{9}+3\dfrac{\boxed{}}{9}=7$

$1\dfrac{\boxed{}}{9}+2\dfrac{\boxed{}}{9}+3\dfrac{\boxed{}}{9}=7$

$1\dfrac{\boxed{}}{9}+2\dfrac{\boxed{}}{9}+3\dfrac{\boxed{}}{9}=7$

08 $\boxed{3\dfrac{♥}{10}+2\dfrac{☆}{10}+4\dfrac{△}{10}=10}$

$3\dfrac{\boxed{}}{10}+2\dfrac{\boxed{}}{10}+4\dfrac{\boxed{}}{10}=10$

$3\dfrac{\boxed{}}{10}+2\dfrac{\boxed{}}{10}+4\dfrac{\boxed{}}{10}=10$

$3\dfrac{\boxed{}}{10}+2\dfrac{\boxed{}}{10}+4\dfrac{\boxed{}}{10}=10$

09 $\boxed{2\dfrac{♥}{8}+5\dfrac{☆}{8}+5\dfrac{△}{8}=14}$

$2\dfrac{\boxed{}}{8}+5\dfrac{\boxed{}}{8}+5\dfrac{\boxed{}}{8}=14$

$2\dfrac{\boxed{}}{8}+5\dfrac{\boxed{}}{8}+5\dfrac{\boxed{}}{8}=14$

주어진 대분수의 덧셈식에서 ♥에 알맞은 수를 구하시오. (10~13)

10

$$1\frac{♥}{13}+3\frac{♥}{13}+5\frac{♥}{13}=10\frac{5}{13}$$

♥=☐

11

$$2\frac{♥}{18}+4\frac{♥}{18}+6\frac{♥}{18}=13\frac{3}{18}$$

♥=☐

12

$$3\frac{♥}{14}+1\frac{♥}{14}+4\frac{♥}{14}=10\frac{2}{14}$$

♥=☐

13

$$1\frac{♥}{20}+5\frac{♥}{20}+9\frac{♥}{20}=17\frac{5}{20}$$

♥=☐

 주어진 대분수의 덧셈식을 성립시키는 여러 가지 덧셈식을 만들어 보시오. (단, ♥는 ☆ 보다 큰 수 입니다.) (14~15)

14

$$♥\frac{5}{7}+☆\frac{6}{7}=8\frac{▲}{7}$$

$$☐\frac{5}{7}+☐\frac{6}{7}=8\frac{☐}{7}$$

$$☐\frac{5}{7}+☐\frac{6}{7}=8\frac{☐}{7}$$

$$☐\frac{5}{7}+☐\frac{6}{7}=8\frac{☐}{7}$$

15

$$♥\frac{7}{9}+☆\frac{5}{9}=10\frac{▲}{9}$$

$$☐\frac{7}{9}+☐\frac{5}{9}=10\frac{☐}{9}$$

$$☐\frac{7}{9}+☐\frac{5}{9}=10\frac{☐}{9}$$

$$☐\frac{7}{9}+☐\frac{5}{9}=10\frac{☐}{9}$$

 계산을 하시오. (01~04)

01 $1\dfrac{1}{2}+2\dfrac{1}{2}+3\dfrac{1}{2}+4\dfrac{1}{2}+\cdots\cdots+8\dfrac{1}{2}+9\dfrac{1}{2}$ (   )

02 $1\dfrac{1}{5}+3\dfrac{1}{5}+5\dfrac{1}{5}+7\dfrac{1}{5}+\cdots\cdots+27\dfrac{1}{5}+29\dfrac{1}{5}$ (   )

03 $2\dfrac{1}{8}+4\dfrac{1}{8}+6\dfrac{1}{8}+8\dfrac{1}{8}+\cdots\cdots+38\dfrac{1}{8}+40\dfrac{1}{8}$ (   )

04 $1\dfrac{1}{10}+2\dfrac{2}{10}+3\dfrac{3}{10}+4\dfrac{4}{10}+\cdots\cdots+8\dfrac{8}{10}+9\dfrac{9}{10}$ (   )

 주어진 조건에 맞는 여러 가지 대분수의 덧셈식을 만들어 보시오. (05~06)

> • ♥, ☆, ▲, ■는 서로 다른 수이고, ■는 분모보다 작습니다.
>
> • ☆ − ♥ = ▲ − ☆입니다.

05 $\boxed{\heartsuit\dfrac{1}{9}+\star\dfrac{2}{9}+\blacktriangle\dfrac{3}{9}=9\dfrac{\blacksquare}{9}}$

   $\square\dfrac{1}{9}+\square\dfrac{2}{9}+\square\dfrac{3}{9}=9\dfrac{\square}{9}$ $\square\dfrac{1}{9}+\square\dfrac{2}{9}+\square\dfrac{3}{9}=9\dfrac{\square}{9}$

06 $\boxed{\heartsuit\dfrac{2}{12}+\star\dfrac{3}{12}+\blacktriangle\dfrac{4}{12}=21\dfrac{\blacksquare}{12}}$ $\square\dfrac{2}{12}+\square\dfrac{3}{12}+\square\dfrac{4}{12}=21\dfrac{\square}{12}$

   $\square\dfrac{2}{12}+\square\dfrac{3}{12}+\square\dfrac{4}{12}=21\dfrac{\square}{12}$ $\square\dfrac{2}{12}+\square\dfrac{3}{12}+\square\dfrac{4}{12}=21\dfrac{\square}{12}$

   $\square\dfrac{2}{12}+\square\dfrac{3}{12}+\square\dfrac{4}{12}=21\dfrac{\square}{12}$ $\square\dfrac{2}{12}+\square\dfrac{3}{12}+\square\dfrac{4}{12}=21\dfrac{\square}{12}$

주어진 9장의 숫자 카드를 모두 사용하여 여러 가지 대분수의 덧셈식을 만들어 보시오.
(단, 더하는 순서만 바뀐 식은 같은 식으로 생각합니다.) (07~08)

07

| 2 | 3 | 4 | 5 | 5 | 8 | 8 | 8 | 9 |

$$\frac{\square}{\square} + \frac{\square}{\square} = \frac{\square}{\square} \qquad \frac{\square}{\square} + \frac{\square}{\square} = \frac{\square}{\square}$$

08

| 2 | 3 | 4 | 6 | 7 | 8 | 9 | 9 | 9 |

$$\frac{\square}{\square} + \frac{\square}{\square} = \frac{\square}{\square} \qquad \frac{\square}{\square} + \frac{\square}{\square} = \frac{\square}{\square}$$

$$\frac{\square}{\square} + \frac{\square}{\square} = \frac{\square}{\square} \qquad \frac{\square}{\square} + \frac{\square}{\square} = \frac{\square}{\square}$$

 보기 의 방법대로 계산해 보시오. (09~10)

보기

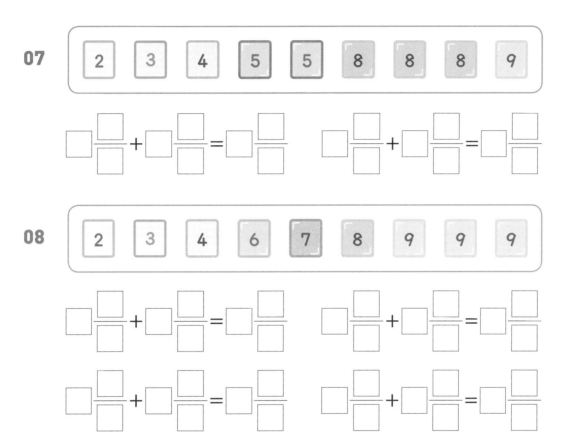

합 6

$$1\frac{1}{5} + 2\frac{2}{5} + 3\frac{3}{5} + 4\frac{4}{5} = 12$$

합 6

➜ 짝을 지어 합이 6이 되는 경우가 2번 이므로 전체의 합은 12입니다.

09 $1\frac{1}{15} + 2\frac{2}{15} + 3\frac{3}{15} + 4\frac{4}{15} + \cdots\cdots + 13\frac{13}{15} + 14\frac{14}{15}$ (   )

10 $1\frac{1}{19} + 2\frac{2}{19} + 3\frac{3}{19} + 4\frac{4}{19} + \cdots\cdots + 17\frac{17}{19} + 18\frac{18}{19}$ (   )

 □ 안에 알맞은 수를 써넣으시오. (01~04)

01 $\quad 2\dfrac{1}{5}+1\dfrac{3}{5}=(2+\square)+\left(\dfrac{1}{5}+\dfrac{\square}{5}\right)=\square+\dfrac{\square}{5}=\square\dfrac{\square}{5}$

02 $\quad 3\dfrac{3}{4}+2\dfrac{2}{4}=(\square+2)+\left(\dfrac{\square}{4}+\dfrac{2}{4}\right)=\square+\square\dfrac{\square}{4}=\square\dfrac{\square}{4}$

03 $\quad 1\dfrac{1}{9}+1\dfrac{4}{9}=\dfrac{\square}{9}+\dfrac{\square}{9}=\dfrac{\square}{9}=\square\dfrac{\square}{9}$

04 $\quad 2\dfrac{4}{5}+1\dfrac{3}{5}=\dfrac{\square}{5}+\dfrac{\square}{5}=\dfrac{\square}{5}=\square\dfrac{\square}{5}$

 계산을 하시오. (05~16)

05 $\quad 1\dfrac{1}{4}+2\dfrac{1}{4}$

06 $\quad 3\dfrac{1}{6}+2\dfrac{3}{6}$

07 $\quad 2\dfrac{2}{7}+3\dfrac{1}{7}$

08 $\quad 5\dfrac{3}{8}+2\dfrac{2}{8}$

09 $\quad 7\dfrac{1}{10}+2\dfrac{3}{10}$

10 $\quad 4\dfrac{4}{11}+2\dfrac{5}{11}$

11 $\quad 3\dfrac{6}{9}+2\dfrac{5}{9}$

12 $\quad 1\dfrac{7}{8}+5\dfrac{6}{8}$

13 $\quad 2\dfrac{8}{11}+3\dfrac{9}{11}$

14 $\quad 1\dfrac{10}{15}+3\dfrac{13}{15}$

15 $\quad 4\dfrac{6}{8}+5\dfrac{7}{8}$

16 $\quad 2\dfrac{7}{14}+3\dfrac{11}{14}$

 주어진 대분수의 덧셈식에서 ♥에 알맞은 수를 구하시오. (17~18)

17 $2\dfrac{♥}{24}+2\dfrac{♥}{24}+2\dfrac{♥}{24}=8\dfrac{12}{24}$ 18 $4\dfrac{♥}{35}+2\dfrac{♥}{35}+1\dfrac{♥}{35}=9\dfrac{5}{35}$

♥ = ☐   ♥ = ☐

19 주어진 대분수의 덧셈식을 성립시키는 여러 가지 덧셈식을 만들어 보시오.
(단, ♥는 ☆보다 큰 수 입니다.)

$♥\dfrac{5}{8}+☆\dfrac{7}{8}=9\dfrac{▲}{8}$ $☐\dfrac{5}{8}+☐\dfrac{7}{8}=9\dfrac{☐}{8}$

$☐\dfrac{5}{8}+☐\dfrac{7}{8}=9\dfrac{☐}{8}$ $☐\dfrac{5}{8}+☐\dfrac{7}{8}=9\dfrac{☐}{8}$

 보기 의 방법대로 계산해 보시오. (20~21)

보기

합 6
$1\dfrac{1}{5}+2\dfrac{2}{5}+3\dfrac{3}{5}+4\dfrac{4}{5}=12$
합 6

➡ 짝을 지어 합이 6이 되는 경우가 2번 이므로 전체의 합은 12입니다.

20 $1\dfrac{1}{13}+2\dfrac{2}{13}+3\dfrac{3}{13}+4\dfrac{4}{13}+\cdots\cdots+11\dfrac{11}{13}+12\dfrac{12}{13}$ (   )

21 $1\dfrac{1}{17}+2\dfrac{2}{17}+3\dfrac{3}{17}+4\dfrac{4}{17}+\cdots\cdots+15\dfrac{15}{17}+16\dfrac{16}{17}$ (   )

Memo

정답 및 해설

4학년 상권

개념 **01** (세 자리 수)×(몇십)의 계산 | 4쪽

01 000, 3
02 000, 3
03 720, 720
04 900, 900
05 940, 940
06 1902, 1902
07 840, 8400, 10 / 840, 8400, 10
08 852, 8520, 10 / 852, 8520, 10
09 8000
10 24000
11 24000
12 5400
13 7400
14 23200
15 12350
16 14400
17 14250
18 35000
19 64000
20 30000
21 19600
22 15200
23 6800
24 19260
25 27000
26 13080

사고력 기르기 Step 1 | 6쪽

01 2, 8, 0, 0, 0 / 4, 4, 0, 0, 0 / 8, 2, 0, 0, 0
02 3, 0, 2, 0, 0 / 4, 3, 6, 0, 0 / 5, 7, 0, 0, 0
03 5, 1, 0, 0, 0 / 6, 5, 2, 0, 0 / 7, 9, 4, 0, 0
04 4, 0, 9, 6, 0 / 5, 6, 2, 0, 0
05 4, 0, 2, 4, 0 / 5, 7, 8, 0, 0
06 6, 7, 8, 9
07 1, 2, 3, 4, 5, 6
08 6, 7, 8, 9
09 5, 6, 7, 8, 9
10 1, 2, 3, 4
11 2, 5, 1 / 4, 5, 2 / 5, 2, 1 / 5, 4, 2 / 5, 6, 3 / 5, 8, 4 / 6, 5, 3 / 8, 5, 4

사고력 기르기 Step 2 | 8쪽

01 6, 7
02 5, 6, 7
03 3, 4, 5
04 2, 0, 3, 6 / 4, 0, 3, 7 / 6, 0, 3, 8 / 8, 0, 3, 9
05 2, 0, 1, 6 / 4, 0, 1, 7 / 6, 0, 1, 8 / 8, 0, 1, 9
06 5060
07 21330
08 18200

01 첫 번째 식에서 ♥는 6, 7, 8, 9이고 두 번째 식에서 ♥는 1~7이므로 두 식을 모두 만족하는 수는 6, 7입니다.

04 곱의 끝자리에서 0이 3개이므로 ☆은 0이고, ♥×5의 일의 자리가 0이어야 하므로 ♥는 2, 4, 6, 8입니다.

06 (101+405)×20÷2=5060

07 (101+610)×60÷2=21330

08 (101+809)×40÷2=18200

실력 점검 | 10쪽

01 000, 3
02 000, 3
03 375, 3750, 10 / 375, 3750, 10
04 854, 8540, 10 / 854, 8540, 10
05 21000
06 18000
07 7000
08 9840
09 5610
10 17000
11 36000
12 40000
13 12400
14 10720
15 15850
16 18480
17 4, 9, 0, 0, 0 / 6, 6, 0, 0, 0 / 9, 4, 0, 0, 0
18 3, 1, 1, 0, 0 / 4, 4, 8, 0, 0 / 5, 8, 5, 0, 0
19 7, 8, 9
20 5, 6, 7, 8, 9
21 1, 2, 3, 4, 5
22 7, 5, 4, 9
23 6, 5, 2, 8

22 가나다 × 라 0 에서 곱이 가장 크려면 가와 라에 **7**과 **9**를 넣어야 하고, 라에 **9**를 넣을 때 **9**를 다른 세 수와 곱하게 되므로 곱을 가장 커지도록 할 수 있습니다.

개념 02 (세 자리 수) × (두 자리 수)의 계산 | 12쪽

01 5, 900, 3600, 4500
02 40, 828, 11040, 11868
03 740, 3700, 4440, 740, 3700
04 1500, 7500, 9000, 1500, 7500
05 250 × 2, 250 × 10
06 318 × 3, 318 × 20
07 6480   08 4050
09 9600   10 3575
11 11367   12 4290
13 12648   14 6853
15 11128   16 4080
17 4800   18 10530
19 15000   20 4572
21 5355   22 11151
23 12098   24 9676

사고력 기르기   Step 1 | 14쪽

01 7, 8, 2, 2, 9, 5, 9, 0
02 6, 9, 2, 6, 1, 2, 5, 0
03 4, 9, 8, 7, 4, 1, 4, 7
04 6, 1, 0, 7, 6, 3, 3, 5, 6
05 7, 1, 3, 0, 5, 1, 6, 0, 9
06 8, 4, 3, 7, 0, 5, 0, 6, 9
07 1, 7, 7, 6, 1, 7, 7, 6, 1, 9, 5, 3, 4 / 3, 9, 9, 6, 3, 9, 9, 6, 4, 3, 9, 5, 6
08 1, 9, 3, 9, 3, 7, 7, 1 / 16341
09 7, 2, 3, 9, 8, 1, 6, 5, 4 / 7521

사고력 기르기   Step 2 | 16쪽

01 3, 5, 4, 1, 1, 8, 1, 2, 7
02 2, 7, 9, 2, 2, 6, 2, 5, 5
03 3, 4, 6, 7, 1, 8, 1, 2, 0, 8, 3
04 5, 3, 8, 0, 1, 1, 4, 2, 5
05 2, 7, 8, 2, 1, 0, 8, 2, 5, 2, 9
06 4, 9, 2, 5, 0, 9, 4, 5, 2, 6, 3
07 100, 100, 10, 10, 9900
08 100, 100, 12, 12, 9856
09 150, 150, 25, 25, 21875
10 0, 11, 8, 8, 2
11 2, 1, 1, 4, 5, 6, 7
12 7, 5, 6, 0, 8, 1, 4, 0, 6, 2

실력 점검   18쪽

01 2, 300, 1500, 1800
02 20, 427, 8540, 8967
03 1701, 11340, 13041, 1701, 11340
04 4500   05 8640   06 5952
07 12050   08 11250   09 9174
10 3996   11 9660   12 7790
13 3500   14 14300   15 15600
16 8, 8, 5, 5, 1, 0, 2, 6, 0
17 6, 1, 0, 9, 2, 3, 8, 5, 2
18 9, 9, 9, 9, 9, 9, 1, 0, 9, 8, 3
19 7, 1, 0, 4, 7, 1, 0, 4, 7, 8, 1, 4, 8
20 4, 7, 9, 7, 2, 4, 2, 9 / 33659

개념 03 나머지가 없는 (세 자리 수) ÷ (몇십)의 계산 | 20쪽

01 5, 5 / 5, 150
02 12, 12 / 12, 40, 80, 80
03 3, 3   04 23, 23
05 8, 320   06 7, 490
07 13, 50, 150, 150
08 12, 80, 160, 160
09 9   10 4   11 7
12 11   13 23   14 11
15 21   16 15   17 17

01 9, 8, 8, 1, 0　　　**02** 7, 2, 2, 1, 0
03 9, 1, 1, 8, 0　　　**04** 7, 2, 2, 8, 0
05 8, 5, 5, 6, 0　　　**06** 7, 5, 5, 6, 0
07 3, 4, 4, 0, 6, 6
08 3, 6, 6, 0, 9, 9
09 4, 6, 6, 0, 8, 8
10 5, 6, 4, 0, 2, 0, 0, 2, 0, 0
11 3, 9, 7, 0, 2, 1, 0, 2, 1, 0
12 6, 7, 6, 0, 1, 2, 0, 1, 2, 0
13 9, 3, 2, 2, 7 / 3, 9, 2, 2, 7
14 9, 7, 6, 6, 3 / 7, 9, 6, 6, 3
15 7, 2, 1, 1, 4 / 2, 7, 1, 1, 4 / 8, 3,
　　2, 2, 4 / 3, 8, 2, 2, 4 / 6, 4, 2, 2,
　　4 / 4, 6, 2, 2, 4 / 9, 6, 5, 5, 4 / 6,
　　9, 5, 5, 4 / 8, 8, 6, 6, 4

01 6, 7, 8, 9
02 4, 6, 7, 8, 9
03 3, 4, 6, 7, 8, 9
04 3, 7, 9
05 5, 3, 4, 3, 0, 1, 5, 1, 5 / 3, 5, 6, 5,
　　0, 1, 5, 1, 5 / 5, 5, 7, 5, 0, 2, 5, 2,
　　5 / 7, 5, 8, 5, 0, 3, 5, 3, 5 / 9, 5,
　　9, 5, 0, 4, 5, 4, 5
06 4, 4, 2, 2, 2 / 9, 9, 3, 3, 3
07 2, 2, 2, 1, 1 / 3, 3, 3, 1, 1 / 4, 4,
　　4, 1, 1 / 5, 5, 5, 1, 1 / 6, 6, 6, 1, 1
　　/ 7, 7, 7, 1, 1 / 8, 8, 8, 1, 1 / 9, 9,
　　9, 1, 1
08 3, 2, 1 / 6, 4, 1 / 9, 6, 1 / 7, 2, 3 /
　　9, 2, 4

01 서로 다른 모양은 서로 다른 숫자임에 유의합
　　니다.
　　　$100 \div 20 = 5(\times)$

02 $150 \div 30 = 5(\times)$

03 $200 \div 40 = 5(\times)$

04 $100 \div 50 = 2(\times)$, $200 \div 50 = 4(\times)$,
　　$250 \div 50 = 5(\times)$, $300 \div 50 = 6(\times)$,
　　$400 \div 50 = 8(\times)$

05 □0×□=□□0에서 곱의 십의 자리 숫자는 5
　　입니다.

06 서로 다른 모양은 서로 다른 숫자임에 유의합
　　니다.
　　$110 \div 10 = 11(\times)$, $220 \div 10 = 22(\times)$,
　　$330 \div 30 = 11(\times)$ 등등

08 △5는 15, 25, 35, 45, … 으로 생각할 수
　　있습니다. 서로 다른 모양은 서로 다른 숫자임
　　에 유의합니다.
　　$15 \times 10 = 150(\times)$, $15 \times 20 = 300(\bigcirc)$,
　　$15 \times 30 = 450(\times)$, $15 \times 40 = 600(\bigcirc)$,
　　$15 \times 50 = 750(\times)$, $15 \times 60 = 900(\bigcirc)$,
　　$25 \times 20 = 500(\times)$, $35 \times 20 = 700(\bigcirc)$,
　　$45 \times 20 = 900(\bigcirc)$

01 5, 5　　　　　　　**02** 17, 17
03 6, 480　　　　　　**04** 9, 360
05 32, 60, 40, 40
06 14, 70, 280, 280
07 8　　　　　　　　**08** 8
09 9　　　　　　　　**10** 3
11 15　　　　　　　 **12** 12
13 27　　　　　　　 **14** 12
15 47　　　　　　　 **16** 5, 2, 2, 0, 0
17 6, 3, 3, 6, 0　　 **18** 6, 4, 4, 8, 0
19 3, 6, 6, 0, 6, 6
20 1, 6, 6, 0, 3, 3
21 2, 8, 8, 0, 8, 8
22 3, 7, 9
23 2, 3, 4, 6, 7, 8, 9
24 1, 2, 5 / 1, 5, 2 / 2, 4, 5 / 2, 5, 4 /
　　3, 5, 6 / 3, 6, 5 / 4, 5, 8 / 4, 8, 5

개념 **04** 나머지가 있는 (세 자리 수) ÷(몇십)의 계산 | 28쪽

01 6, 120, 5 / 6, 5
02 7, 280, 3 / 7, 3
03 12, 80, 162, 160, 2 / 12, 2
04 12, 70, 142, 140, 2 / 12, 2
05~12 풀이 참조

05
```
        9
30) 2 7 6
    2 7 0
        6
```
검산 $30 \times 9 + 6 = 276$

06
```
        6
50) 3 1 2
    3 0 0
      1 2
```
검산 $50 \times 6 + 12 = 312$

07
```
        8
20) 1 7 1
    1 6 0
      1 1
```
검산 $20 \times 8 + 11 = 171$

08
```
        7
60) 4 2 5
    4 2 0
        5
```
검산 $60 \times 7 + 5 = 425$

09
```
      2 2
40) 8 8 8
    8 0
      8 8
      8 0
        8
```
검산 $40 \times 22 + 8 = 888$

10
```
      2 4
30) 7 3 5
    6 0
    1 3 5
    1 2 0
      1 5
```
검산 $30 \times 24 + 15 = 735$

11
```
      1 7
50) 8 5 7
    5 0
    3 5 7
    3 5 0
        7
```
검산 $50 \times 17 + 7 = 857$

12
```
      1 2
60) 7 2 3
    6 0
    1 2 3
    1 2 0
        3
```
검산 $60 \times 12 + 3 = 723$

사고력 기르기 Step 1 | 30쪽

01 8, 3, 7, 2
02 7, 6, 5, 3
03 8, 4, 6, 0
04 8, 2, 5, 8, 2, 0
05 6, 4, 1, 9, 3, 0
06 7, 5, 0, 6, 4, 0
07 2, 1, 8, 3, 0, 4, 4, 3
08 1, 2, 6, 1, 0, 1, 1, 1
09 2, 4, 4, 8, 0, 8, 8
10 2, 9, 9, 0, 5, 6, 0
11 3, 2, 5, 3, 6, 0, 3, 4, 0
12 2, 4, 7, 5, 8, 0, 1, 5, 1, 6, 0
13 105, 5 / 125, 6 / 145, 7 / 165, 8 / 185, 9
14 105, 5, 5 / 126, 6, 6 / 147, 7, 7 / 168, 8, 8 / 189, 9, 9
15 119, 5, 19 / 139, 6, 19 / 159, 7, 19 / 179, 8, 19 / 199, 9, 19

사고력 기르기

Step 2 | 32쪽

01 1, 5, 6, 0, 5, 0, 1, 0, 7, 1, 0, 0, 7 / 1, 6, 7, 2, 6, 0, 1, 2, 7, 1, 2, 0, 7 / 1, 7, 8, 4, 7, 0, 1, 4, 7, 1, 4, 0, 7 / 1, 8, 9, 6, 8, 0, 1, 6, 7, 1, 6, 0, 7

02 1, 4, 5, 2, 4, 0, 1, 2, 5, 1, 2, 0, 5 / 2, 4, 9, 2, 8, 0, 1, 2, 5, 1, 2, 0, 5 / 1, 5, 6, 5, 5, 0, 1, 5, 5, 1, 5, 0, 5 / 1, 6, 7, 8, 6, 0, 1, 8, 5, 1, 8, 0, 5 / 1, 7, 9, 1, 7, 0, 2, 1, 5, 2, 1, 0, 5

03 5, 4, 2, 3, 18, 2 / 4, 5, 2, 3, 15, 2

04 2, 4, 3, 5, 4, 43

05 6, 1, 3, 13 / 6, 1, 5, 15 / 6, 1, 8, 18 / 6, 3, 1, 31 / 6, 3, 5, 35 / 6, 3, 8, 38

06 3, 6, 1, 1 / 3, 6, 5, 5 / 3, 6, 8, 8 / 3, 8, 1, 21 / 3, 8, 5, 25 / 3, 8, 6, 26

05 ♥▲☆은 $40 \times 15 = 600$ 보다 크고 $40 \times 16 = 640$ 보다 작아야 합니다.

06 ♥▲☆은 $30 \times 12 = 360$ 보다 크고 $30 \times 13 = 390$ 보다 작아야 합니다.

실력 점검

| 34쪽

01 7, 210, 3 / 7, 3
02 13, 70, 214, 210, 4 / 13, 4
03 풀이 참조   **04** 풀이 참조
05 풀이 참조   **06** 풀이 참조
07 7, 2, 5, 8   **08** 9, 6, 4, 3
09 8, 8, 0, 6, 7, 0
10 1, 3, 6, 1, 0, 5, 1
11 3, 3, 6, 8, 0, 6, 6
12 2, 6, 9, 7, 6, 0, 1, 7, 1, 8, 0
13 9, 6, 3, 4, 24, 3
14 3, 4, 6, 9, 3, 76 / 4, 3, 6, 9, 4, 76

03
```
        7
   80)5 6 1
      5 6 0
          1
```
검산 $80 \times 7 + 1 = 561$

04
```
        9
  50)4 5 2
     4 5 0
         2
```
검산 $50 \times 9 + 2 = 452$

05
```
       2 3
  40)9 2 5
     8 0
     1 2 5
     1 2 0
         5
```
검산 $40 \times 23 + 5 = 925$

06
```
       1 6
  60)9 6 5
     6 0
     3 6 5
     3 6 0
         5
```
검산 $60 \times 16 + 5 = 965$

개념 05 몫이 한 자리 수이고 나머지가 없는 (세 자리 수)÷(두 자리 수)의 계산 | 36쪽

01 192, 224 / 6, 192, 6
02 225, 270 / 6, 270, 6
03 8, 496, 8   **04** 5, 285, 5
05~12 풀이 참조

05
```
        6
  37)2 2 2
     2 2 2
         0
```
검산 $37 \times 6 = 222$

06
```
        9
  18)1 6 2
     1 6 2
         0
```
검산 $18 \times 9 = 162$

07
```
        5
  36)1 8 0
     1 8 0
         0
```
검산 $36 \times 5 = 180$

08

$$76)\overline{304}$$ 몫 4
304
0

검산 $76 \times 4 = 304$

09

$$49)\overline{343}$$ 몫 7
343
0

검산 $49 \times 7 = 343$

10

$$62)\overline{434}$$ 몫 7
434
0

검산 $62 \times 7 = 434$

11

$$96)\overline{288}$$ 몫 3
288
0

검산 $96 \times 3 = 288$

12

$$85)\overline{765}$$ 몫 9
765
0

검산 $85 \times 9 = 765$

사고력 기르기 Step 1 | 38쪽

01 7, 3, 2, 3, 2, 9   **02** 9, 3, 5, 3, 5, 1
03 9, 6, 2, 6, 2, 3   **04** 5, 7, 7, 4, 7, 7
05 4, 7, 6, 3, 7, 6   **06** 7, 5, 6, 4, 5, 6
07 5, 3, 3, 1, 8   **08** 7, 6, 3, 4, 3, 4
09 9, 4, 2, 4, 2, 3
10 7, 4, 4 / 3, 7, 8
11 9, 2, 4 / 4, 6, 8
12 1, 0, 0, 4 / 1, 2, 5, 5 / 1, 5, 0, 6 /
    1, 7, 5, 7 / 2, 0, 0, 8 / 2, 2, 5, 9
13 1, 0, 5, 5 / 1, 2, 6, 6 / 1, 4, 7, 7 /
    1, 6, 8, 8 / 1, 8, 9, 9
14 1, 1, 4, 6 / 1, 3, 3, 7 / 1, 5, 2, 8 /
    1, 7, 1, 9
15 1, 2, 6, 3 / 1, 6, 8, 4 / 2, 1, 0, 5 /
    2, 5, 2, 6 / 2, 9, 4, 7 / 3, 3, 6, 8 /
    3, 7, 8, 9

사고력 기르기 Step 2 | 40쪽

01 9, 5, 1, 5, 3, 1   **02** 8, 3, 6, 3, 3, 6
03 5, 4, 5, 4, 5, 5   **04** 4, 5, 4, 5, 0, 4
05 9, 5, 3, 5, 5, 3   **06** 4, 5, 4, 5, 6, 4
07 5, 6, 0, 6, 0, 0 / 6, 6, 8, 6, 0, 8
08 8, 2, 0, 2, 4, 0 / 9, 2, 5, 2, 4, 5
09 3, 2, 2, 2, 5, 2 / 4, 2, 6, 2, 5, 6
10 243, 108   **11** 306, 102
12 495, 110   **13** 891, 198
14 162, 108
15 1, 7, 6, 4, 4, 4 / 5, 3, 9, 7, 7, 7 /
    7, 0, 4, 8, 8, 8

---

10 ☆=9일 때 ♥가 가장 커지므로
♥=27×9=243, ☆=4일 때 ♥가 가장 작
은 세 자리 수가 되므로 ♥=27×4=108입
니다.

15 서로 다른 모양은 서로 다른 숫자라는 조건에
유의합니다.

실력 점검 | 42쪽

01 3, 144, 3   **02** 4, 268, 4
03~08 풀이 참조
09 8, 3, 3, 3, 3, 6   **10** 4, 8, 7, 3, 8, 7
11 6, 3, 3, 8, 4
12 1, 1, 5, 5 / 1, 3, 8, 6 / 1, 6, 1, 7 /
    1, 8, 4, 8 / 2, 0, 7, 9
13 1, 1, 2, 7 / 1, 2, 8, 8 / 1, 4, 4, 9
14 171, 114   **15** 432, 144

03

$$27)\overline{216}$$ 몫 8
216
0

검산 $27 \times 8 = 216$

04

$$49)\overline{294}$$ 몫 6
294
0

검산 $49 \times 6 = 294$

05
$$74\overline{)296}$$
$$\underline{296}$$
$$0$$

검산 $74\times4=296$

06
$$54\overline{)432}$$
$$\underline{432}$$
$$0$$

검산 $54\times8=432$

07
$$61\overline{)427}$$
$$\underline{427}$$
$$0$$

검산 $61\times7=427$

08
$$36\overline{)324}$$
$$\underline{324}$$
$$0$$

검산 $36\times9=324$

08
$$76\overline{)315}$$
$$\underline{304}$$
$$11$$

검산 $76\times4+11=315$

09
$$82\overline{)412}$$
$$\underline{410}$$
$$2$$

검산 $82\times5+2=412$

10
$$67\overline{)538}$$
$$\underline{536}$$
$$2$$

검산 $67\times8+2=538$

11
$$91\overline{)365}$$
$$\underline{364}$$
$$1$$

검산 $91\times4+1=365$

12
$$42\overline{)382}$$
$$\underline{378}$$
$$4$$

검산 $42\times9+4=382$

 **개념 06** 몫이 한 자리 수이고 나머지가 있는 (세 자리 수)÷(두 자리 수)의 계산 | 44쪽

01 208, 260 / 4, 208, 2 / 4, 2
02 235, 282 / 6, 282, 3 / 6, 3
03 8, 288, 6 / 8, 6
04 6, 366, 2 / 6, 2
05~12 풀이 참조

05
$$27\overline{)218}$$
$$\underline{216}$$
$$2$$

검산 $27\times8+2=218$

06
$$49\overline{)150}$$
$$\underline{147}$$
$$3$$

검산 $49\times3+3=150$

07
$$57\overline{)289}$$
$$\underline{285}$$
$$4$$

검산 $57\times5+4=289$

사고력 기르기   Step 1 | 46쪽

01 9, 7, 4, 8, 2   **02** 7, 3, 0, 1, 7
03 9, 9, 6, 8, 5   **04** 3, 9, 8, 1, 6
05 7, 7, 8, 9, 6   **06** 3, 1, 8, 9, 5
07 87   **08** 42
09 56   **10** 38
11 77   **12** 223
13 264   **14** 173
15 404
16 0, 1, 2, 3, 4, 5, 6, 7
17 0, 1, 2, 3, 4   **18** 5, 6, 7, 8, 9

07 $525-3=522$는 ♥로 나누어떨어지므로 ♥$=522\div6=87$입니다.

12 나머지가 가장 클 때 ♥가 가장 커지므로 ♥$=32\times6+31=223$입니다.

16 나머지가 한 자리 수이므로 25△는
62×4+10=258보다 작아야 합니다.
따라서 △는 0~7입니다.

18 나머지가 두 자리 수이므로 37△는
73×5+9=374보다 커야 합니다.
따라서 △는 5~9입니다.

01 3, 6, 1, 3, 1, 9 / 3, 7, 4, 3, 2, 2 /
3, 8, 7, 3, 2, 5 / 5, 4, 4, 3, 2, 2 /
5, 5, 9, 3, 2, 7 / 7, 3, 6, 3, 2, 4 /
9, 2, 4, 3, 2, 2

02 8, 1, 3, 5, 1, 3, 2 / 4, 2, 1, 9, 1, 1,
6 / 9, 2, 4, 0, 1, 3, 7 / 6, 3, 2, 8,
1, 2, 5 / 7, 4, 3, 3, 1, 3, 0 / 3, 6,
1, 6, 1, 1, 3 / 8, 6, 3, 9, 1, 3, 6 /
4, 7, 2, 1, 1, 1, 8 / 6, 8, 3, 1, 1, 2,
8

03 47, 1   **04** 41, 5
05 46, 1   **06** 47, 2
07 81, 1   **08** 89, 3

03 몫이 한 자리 수이므로 ☆은 43, 44, 45,
……이고 ☆이 47일 때 47×9=423, ☆이
48일 때 48×9=432이므로 ☆은 47, △는
1입니다.

01 4, 144, 1 / 4, 1
02 4, 232, 3 / 4, 3
03~08 풀이 참조
09 58   **10** 29
11 0, 1, 2, 3, 4
12 0, 1, 2, 3, 4, 5, 6, 7
13 39, 5   **14** 70, 3

03
$$19)\overline{155}$$
$$\underline{152}$$
$$3$$
검산 19×8+3=155

04
$$23)\overline{185}$$
$$\underline{184}$$
$$1$$
검산 23×8+1=185

05
$$42)\overline{215}$$
$$\underline{210}$$
$$5$$
검산 42×5+5=215

06
$$72)\overline{435}$$
$$\underline{432}$$
$$3$$
검산 72×6+3=435

07
$$87)\overline{263}$$
$$\underline{261}$$
$$2$$
검산 87×3+2=263

08
$$88)\overline{530}$$
$$\underline{528}$$
$$2$$
검산 88×6+2=530

09 355−7=348은 ♥로 나누어떨어지므로
♥=348÷6=58입니다.

11 나머지가 한 자리 수이므로 22△는
43×5+10=225보다 작아야 합니다.
따라서 △는 0~4입니다.

13 몫이 한 자리 수이므로 ☆은 36, 37, 38,
……이고 ☆이 39일 때 39×9=351, ☆이
40일 때 40×9=360이므로 ☆은 39, △는
5입니다.

 개념 **07** 몫이 두 자리 수이고 나머지가 없는 (세 자리 수)÷(두 자리 수)의 계산 | 52쪽

01 1, 24, 120 / 15, 24, 120, 120 / 15
02 2, 42, 147 / 27, 42, 147, 147 / 27
03~10 풀이 참조

03
```
      2 3
18 ) 4 1 4
     3 6
     5 4
     5 4
         0
```
검산 18×23=414

04
```
      3 5
27 ) 9 4 5
     8 1
     1 3 5
     1 3 5
         0
```
검산 27×35=945

05
```
      2 8
31 ) 8 6 8
     6 2
     2 4 8
     2 4 8
         0
```
검산 31×28=868

06
```
      1 9
47 ) 8 9 3
     4 7
     4 2 3
     4 2 3
         0
```
검산 47×19=893

07
```
      1 2
69 ) 8 2 8
     6 9
     1 3 8
     1 3 8
         0
```
검산 69×12=828

08
```
      1 4
52 ) 7 2 8
     5 2
     2 0 8
     2 0 8
         0
```
검산 52×14=728

09
```
      1 3
67 ) 8 7 1
     6 7
     2 0 1
     2 0 1
         0
```
검산 67×13=871

10
```
      2 8
34 ) 9 5 2
     6 8
     2 7 2
     2 7 2
         0
```
검산 34×28=952

사고력 기르기 　　　　　　Step 1 | 54쪽

01 3, 8, 9, 1, 2, 7, 1, 9, 2
02 2, 5, 8, 0, 0, 6, 1, 6, 0
03 4, 4, 7, 9, 2, 7, 7, 2
04 5, 3, 6, 3, 6, 5, 3, 1, 0, 6
05 2, 1, 6, 9, 3, 6, 3, 6, 3
06 2, 6, 7, 2, 8, 5, 2, 2, 0, 8
07 9, 6, 6, 8, 4, 3, 3, 2, 4
08 2, 2, 9, 2, 4, 8, 8, 4
09 3, 7, 8, 9, 1, 8, 8, 1
10 2, 2, 6, 6, 4, 7, 2, 0, 7
11 4, 1, 7, 1, 6, 4, 3, 4
12 1, 5, 8, 4, 5, 8, 3, 1, 8
13 6, 6, 1, 1, 6, 6, 6, 6, 6, 6 /
　 3, 3, 2, 2, 6, 6, 6, 6, 6, 6 /
　 2, 2, 3, 3, 6, 6, 6, 6, 6, 6 /
　 1, 1, 6, 6, 6, 6, 6, 6, 6, 6
14 8, 8, 1, 1, 8, 8, 8, 8, 8, 8 /
　 4, 4, 2, 2, 8, 8, 8, 8, 8, 8 /
　 2, 2, 4, 4, 8, 8, 8, 8, 8, 8 /
　 1, 1, 8, 8, 8, 8, 8, 8, 8, 8

Step 2 | 56쪽

사고력 기르기

01 3, 6, 8, 7, 8, 2, 6, 2, 6
02 2, 3, 9, 8, 6, 1, 2, 9, 1, 2, 9
03 5, 7, 9, 8, 5, 1, 0, 2, 1, 0, 2
04 9, 1, 2, 4, 1, 3, 1, 1, 7, 1, 1, 7 /
9, 2, 4, 3, 2, 3, 2, 0, 7, 2, 0, 7 /
9, 3, 6, 2, 3, 3, 2, 9, 7, 2, 9, 7 /
9, 4, 8, 1, 4, 3, 3, 8, 7, 3, 8, 7
05 7, 1, 5, 1, 3, 8, 1, 3, 3, 1, 3, 3 /
7, 2, 7, 8, 5, 8, 2, 0, 3, 2, 0, 3
06 2, 1, 1, 2, 2, 2, 2 / 3, 1, 1, 3, 3, 3,
3 / 4, 1, 1, 4, 4, 4, 4 / 5, 1, 1, 5,
5, 5, 5 / 6, 1, 1, 6, 6, 6, 6 / 7, 1,
1, 7, 7, 7, 7 / 8, 1, 1, 8, 8, 8, 8 /
9, 1, 1, 9, 9, 9, 9
07 250, 975   08 310, 992

06 ♥♥×☆=☆☆이므로 ♥♥는 11입니다.

07 ♥가 가장 작을 때는 ☆이 10일 때이므로
25×10=250, ☆이 40일 때
♥는 25×40=1000이므로 세 자리 수 ♥는
☆이 39일 때 가장 큽니다.
→ 25×39 =975

실력 점검

| 58쪽

01~08 풀이 참조
09 4, 4, 1, 1, 4, 4, 4, 4, 4, 4 /
2, 2, 2, 2, 4, 4, 4, 4, 4, 4 /
1, 1, 4, 4, 4, 4, 4, 4, 4, 4
10 330, 990   11 400, 960

01
```
       1 4
   21)2 9 4
      2 1
      ─────
        8 4
        8 4
      ─────
          0
```
검산 21×14=294

02
```
        1 3
   34)4 4 2
      3 4
      ─────
      1 0 2
      1 0 2
      ─────
          0
```
검산 34×13=442

03
```
        1 9
   18)3 4 2
      1 8
      ─────
      1 6 2
      1 6 2
      ─────
          0
```
검산 18×19=342

04
```
        2 1
   37)7 7 7
      7 4
      ─────
        3 7
        3 7
      ─────
          0
```
검산 37×21=777

05
```
        1 1
   58)6 3 8
      5 8
      ─────
        5 8
        5 8
      ─────
          0
```
검산 58×11=638

06
```
        2 3
   35)8 0 5
      7 0
      ─────
      1 0 5
      1 0 5
      ─────
          0
```
검산 35×23=805

07
```
        3 3
   21)6 9 3
      6 3
      ─────
        6 3
        6 3
      ─────
          0
```
검산 21×33=693

08
```
        1 8
   34)6 1 2
      3 4
      ─────
      2 7 2
      2 7 2
      ─────
          0
```
검산 34×18=612

10 ♥가 가장 작을 때는 ☆이 10일 때이므로
33×10=330, ☆이 31일 때 ♥는
33×31=1023이므로 세 자리 수 ♥는 ☆이
30일 때 가장 큽니다. → 33×30 =990

 개념 08 몫이 두 자리 수이고 나머지가 있는 (세 자리 수)÷(두 자리 수)의 계산 | 60쪽

01 1, 21, 85 / 14, 21, 85, 84, 1 / 14, 1
02 1, 27, 165 / 16, 27, 165, 162, 3 /
16, 3
03~10 풀이 참조

03
```
        2 3
17 ) 3 9 5
      3 4
      5 5
      5 1
        4
```
검산 17×23+4=395

04
```
        2 1
28 ) 5 9 3
      5 6
      3 3
      2 8
        5
```
검산 28×21+5=593

05
```
        1 9
12 ) 2 3 3
      1 2
      1 1 3
      1 0 8
          5
```
검산 12×19+5=233

06
```
        1 5
48 ) 7 2 5
      4 8
      2 4 5
      2 4 0
          5
```
검산 48×15+5=725

07
```
        2 3
27 ) 6 2 5
      5 4
      8 5
      8 1
        4
```
검산 27×23+4=625

08
```
        1 1
17 ) 1 9 6
      1 7
      2 6
      1 7
        9
```
검산 17×11+9=196

09
```
        1 2
64 ) 7 7 0
      6 4
      1 3 0
      1 2 8
          2
```
검산 64×12+2=770

10
```
        1 8
39 ) 7 0 5
      3 9
      3 1 5
      3 1 2
          3
```
검산 39×18+3=705

사고력 기르기 | Step 1 | 62쪽

01 1, 2, 3, 2, 9, 2, 9, 5
02 1, 2, 5, 2, 7, 4, 7, 8
03 2, 3, 7, 4, 3, 6, 3, 9
04 2, 4, 9, 8, 8, 9, 8, 2
05 3, 3, 8, 3, 4, 6, 4, 1, 6
06 3, 5, 6, 9, 2, 3, 2, 3, 1
07 2, 3, 7, 7, 7, 7, 7, 7
08 2, 1, 4, 4, 8, 3, 8, 5
09 3, 2, 9, 9, 9, 8, 9, 1, 1
10 447   11 791
12 747   13 956
14 5, 6, 7   15 4, 5, 6
16 0, 1, 2   17 3, 4, 5, 6

10 나머지가 28−1=27일 때 ♥가 가장 커집니다. 따라서 ♥=28×15+27=447입니다.

11 ♥=36×21+35=791

12 ♥=17×43+16=747

13 ♥=33×28+32=956

14 5★3은 23×24=552 보다 크거나 같고, 23×25=575보다는 작아야 합니다. 따라서 ★이 될 수 있는 숫자는 5, 6, 7입니다.

사고력 기르기 Step 2 | 64쪽

01 0, 0, 8, 0, 9, 8, 0 / 0, 1, 8, 4, 9, 8, 4 / 0, 2, 8, 8, 9, 8, 8 / 0, 3, 9, 2, 9, 9, 2 / 0, 4, 9, 6, 9, 9, 6

02 2, 1, 2, 6, 7, 2, 4, 2, 2, 4 / 7, 1, 3, 2, 7, 2, 4, 8, 8, 4 / 2, 2, 4, 8, 7, 4, 4, 4, 4, 4 / 2, 3, 7, 0, 7, 6, 4, 6, 6, 4 / 2, 4, 9, 2, 7, 8, 4, 8, 8, 4

03 3, 32   **04** 2, 23

05 4, 43   **06** 3, 30

07 3, 35   **08** 5, 52

09 8, 83

01 몫의 일의 자리 수가 0이어야 합니다.

03 100÷31=3…7에서 가장 작은 수는 3, 999 ÷31=32…7에서 가장 큰 수는 32입니다.

실력 점검 | 66쪽

01~08 풀이 참조

09 2, 9, 6, 6, 3, 3, 5

10 1, 5, 4, 7, 3, 3, 1

11 4, 3, 7, 8, 4, 4, 2, 1

12 3, 4   **13** 4, 5, 6, 7

14 6, 7, 8, 9   **15** 5, 55

16 4, 39

01
```
        2 1
  23) 4 8 5
       4 6
       ─────
         2 5
         2 3
       ─────
           2
```
검산 23×21+2=485

02
```
        1 4
  25) 3 5 2
       2 5
       ─────
       1 0 2
       1 0 0
       ─────
           2
```
검산 25×14+2=352

03
```
        3 6
  19) 6 8 5
       5 7
       ─────
       1 1 5
       1 1 4
       ─────
           1
```
검산 19×36+1=685

04
```
        2 2
  23) 5 1 0
       4 6
       ─────
         5 0
         4 6
       ─────
           4
```
검산 23×22+4=510

05
```
        1 8
  47) 8 4 8
       4 7
       ─────
       3 7 8
       3 7 6
       ─────
           2
```
검산 47×18+2=848

06
```
        1 5
  66) 9 9 5
       6 6
       ─────
       3 3 5
       3 3 0
       ─────
           5
```
검산 66×15+5=995

07
```
        2 3
  26) 5 9 9
       5 2
       ─────
         7 9
         7 8
       ─────
           1
```
검산 26×23+1=599

08

$$48\overline{)770}$$
$$16$$

```
      1 6
48 ) 7 7 0
      4 8
    ─────
      2 9 0
      2 8 8
    ─────
          2
```

검산 $48 \times 16 + 2 = 770$

12 6☆2는 $21 \times 30 = 630$보다 크거나 같고, $21 \times 31 = 651$보다는 작아야 합니다.
따라서 ☆이 될 수 있는 숫자는 3, 4입니다.

15 $100 \div 18 = 5 \cdots 10$에서 가장 작은 수는 5, $999 \div 18 = 55 \cdots 9$에서 가장 큰 수는 55입니다.

개념 **09** 수의 규칙(1)　　│ 68쪽

01 155, 165, 175, 185
02 303, 314, 325, 336
03 742, 735, 728, 721
04 820, 805, 790, 775
05 175, 200 / 20, 25
06 340, 390 / 40, 50
07 137, 147 / 8, 10
08 216, 235 / 17, 19
09 256, 1024　　**10** 1296, 7776
11 25, 5, 1　　**12** 16, 8, 4

사고력 기르기　　　Step 1│ 70쪽

01 298　　**02** 803
03 506　　**04** 433
05 777　　**06** 1801
07 1688　　**08** 29
09 155　　**10** 74
11 950　　**12** 3775
13 15050

01 100번째의 수는 1부터 3씩 99번 뛰어 세기한 것이므로 $1 + 3 \times 99 = 298$입니다.

02 $3 + 4 \times 200 = 803$

03 $2 + 6 \times 84 = 506$

04 $13 + 7 \times 60 = 433$

05 $18 + 11 \times 69 = 777$

06 $21 + 20 \times 89 = 1801$

07 $5 + 33 \times 51 = 1688$

09 $(2 + 29) \times 10 \div 2 = 155$

10 $2 + 3 \times 24 = 74$

11 $(2 + 74) \times 25 \div 2 = 950$

12 50번째는 $2 + 3 \times 49 = 149$이므로 구하는 합은 $(2 + 149) \times 50 \div 2 = 3775$입니다.

13 100번째는 $2 + 3 \times 99 = 299$이므로 구하는 합은 $(2 + 299) \times 100 \div 2 = 15050$입니다.

사고력 기르기　　　Step 2│ 72쪽

01 풀이 참조　　**02** 300
03 3024　　**04** 30번째
05 풀이 참조　　**06** 310
07 6930　　**08** 50번째

01 방법 1　20번째 홀수는 $1 + 2 \times 19 = 39$이므로 합은
$(1 + 39) \times 20 \div 2 = 400$입니다.
방법 2　더한 홀수의 개수를 2번 곱하여 구하면 $20 \times 20 = 400$입니다.

02 20번째 홀수까지의 합에서 10번째 홀수까지의 합을 빼서 구합니다.
$20 \times 20 - 10 \times 10 = 300$

03 $60 \times 60 - 24 \times 24 = 3024$

04 $900=30\times30$이므로 **30**번째 홀수까지 더한 것입니다.

05 방법 1   **20**번째의 짝수는 $2+2\times19=40$이 므로 $(2+40)\times20\div2=420$입니다.

     방법 2   규칙을 이용하여 합을 구하면 $20\times21=420$입니다.

06 $20\times21-10\times11=310$

07 $99\times100-54\times55=6930$

08 $2500=50\times50$, $2550=50\times51$ 이므로 **50**번째까지 더한 것입니다.

실력 점검 | 74쪽

01 230, 250, 270, 290
02 270, 295, 320, 345
03 670, 661, 652, 643
04 828, 816, 804, 792
05 1123, 1623 / 400, 500
06 850, 1100 / 200, 250
07 32, 64, 128   **08** 27, 9, 3
09 397   **10** 364
11 1817   **12** 362
13 9537   **14** 38007

09 **100**번째의 수는 **1**부터 **4**씩 **99**번 뛰어 세기한 것이므로 $1+4\times99=397$입니다.

10 $4+3\times120=364$

11 $5+6\times302=1817$

12 $12+7\times50=362$

13 $(12+362)\times51\div2=9537$

14 **103**번째 수는 $12+7\times102=726$이므로 그 합은 $(12+726)\times103\div2=38007$입니다.

개념 **10**   수의 규칙(2) | 76쪽

01 $101\times55=5555$
02 $750\times4=3000$
03 $7\times100002=700014$
04 $1111\times1111=1234321$
05 $555\div15=37$ **06** $750\div25=30$
07 $720\div8=90$ **08** $4444\div11=404$
09 145, 137, 129   **10** 3, 3, 148, 149

사고력 기르기   Step 1 | 78쪽

01 66   **02** 40
03 60   **04** 76
05 풀이 참조   **06** 62개
07 202개

01 가운데 수의 **5**배가 **285**이므로 가운데 수는 $285\div5=57$입니다.
    따라서 가장 큰 수는 $57+9=66$입니다.

02 가운데 수의 **9**배가 **450**이므로 가운데 수는 $450\div9=50$입니다.
    따라서 가장 작은 수는 $50-10=40$입니다.

03 $480\div8=60$

04 색칠한 수로 둘러싸인 한 가운데 수는 $528\div8=66$이므로 **8**개의 수 중 가장 큰 수는 $66+10=76$입니다.

05 방법 1   탁자가 □개일 때 의자 수는 $2\times(□+1)$이므로 $2\times21=42$(개)입니다.

     방법 2   좌우로 **1**개씩, 상하로 **20**개씩이므로 $2+20\times2=42$(개)입니다.

     방법 3   탁자끼리 붙는 부분은 **19**군데 이므로 $4\times20-2\times19=42$(개)입니다.

06 $2+30\times2=62$(개)

07 $2+100\times2=202$(개)

사고력 기르기   Step 2 | 80쪽

01	47	02	75
03	389	04	83
05	403	06	6
07	4	08	9
09	4	10	3

01 7행 1열의 수는 7×7=49이므로 7행 3열의
수는 49−2=47입니다.

02 9행 1열의 수는 9×9=81이므로 9행 7열의
수는 81−6=75입니다.

03 20×20−11=389

04 표에서 1행 3열의 수 5는 2행 1열의 수 4보다
1 큽니다. 마찬가지 방법으로 1행 10열의 수는
9행 1열의 수 9×9=81보다 1 크므로 82입
니다. 따라서 2행 10열의 수는 82+1=83입
니다.

05 1행 21열의 수는 20행 1열의 수
20×20=400보다 1 크므로 401입니다.
따라서 3행 21열의 수는 401+2=403입니다.

06 2×1=2이고 2×2×2×2×2=32에서 일
의 자리 숫자가 다시 2가 되므로 일의 자리 숫
자는 2, 4, 8, 6이 반복됩니다. 따라서
20÷4=5에서 구하는 일의 자리 숫자는 6입
니다.

07 일의 자리 숫자가 2, 4, 8, 6으로 반복되므로
30÷4=7…2에서 구하는 일의 자리 숫자는
2, 4, 8, 6의 두 번째 수 4입니다.

08 3×1=3, 3×3=9, 3×3×3=27,
3×3×3×3=81, 3×3×3×3×3=243
……이므로 일의 자리 숫자는 3, 9, 7, 1이 반
복됩니다. 따라서 50÷4=12…2에서 구하는
일의 자리 숫자는 3, 9, 7, 1의 두 번째 수 9
입니다.

09 일의 자리 숫자가 4, 6이 반복되고
71÷2=35…1이므로 구하는 숫자는 4입니
다.

실력 점검 | 82쪽

01	180×25=4500 / 180×30=5400		
02	3×1000007=3000021 / 3×10000007=30000021		
03	1000÷25=40 / 1200÷25=48		
04	555555÷35=15873 / 666666÷42=15873		
05	248+258=249+257 / 249+259=250+258		
06	257+258+259=258×3 / 258+259+260=259×3		
07	69	08	56
09	70	10	1

07 가운데 수의 5배가 285이므로 가운데 수는
300÷5=60입니다. 따라서 가장 큰 수는
60+9=69입니다.

08 가운데 수의 9배가 594이므로 가운데 수는
594÷9=66입니다. 따라서 가장 작은 수는
66−10=56입니다.

09 560÷8=70

10 3×1=3, 3×3=9, 3×3×3=27,
3×3×3×3=81, 3×3×3×3×3=243
……이므로 일의 자리 숫자는 3, 9, 7, 1이 반
복됩니다. 따라서 100÷4=25에서 구하는
일의 자리 숫자는 3, 9, 7, 1의 네 번째 수 1
입니다.

01 2, 4, 6, 6
02 3, 7, 10, 10, 2
03 5, 6, 11, 11, 1, 4
04 1, 1, 2
05 2, 1, 3
06 2, 5, 7
07 4, 3, 7
08 3, 2, 5, 1, 1
09 6, 4, 10, 1, 3
10 7, 8, 15, 1, 5
11 4, 9, 13, 1, 2
12 $\dfrac{5}{9}$
13 $\dfrac{5}{6}$
14 $\dfrac{9}{10}$
15 $\dfrac{12}{13}$
16 $1\dfrac{1}{3}$
17 $1\dfrac{1}{8}$
18 $1\dfrac{3}{11}$
19 $1\dfrac{6}{15}$

사고력 기르기 Step 1 | 86쪽

01 1, 2, 3, / 1, 3, 4 / 1, 4, 5 / 1, 5, 6 /
1, 6, 7 / 2, 3, 5 / 2, 4, 6 / 2, 5, 7 /
3, 4, 7
02 5, 9, 1 / 6, 8, 1 / 7, 7, 1 / 6, 9, 2 /
7, 8, 2 / 7, 9, 3 / 8, 8, 3 / 8, 9, 4
/ 9, 9, 5
03 9개
04 16개
05 4개
06 29개
07 7, 8
08 6, 7, 8, 9
09 1, 2, 3, 4
10 1, 2, 3, 4, 5
11 $\dfrac{4}{7}$

02 ♥와 ☆의 합이 최소 **14**, 최대 **18**임을 생각하여 문제를 해결합니다.

03 **9**부터 **17**까지 **9**개입니다.

04 **9**부터 **24**까지 **16**개입니다.

11 가부분은 공통으로 더해지는 부분이므로 가로의 두 분수의 합은 세로의 두 분수의 합이어야 합니다. 따라서 나부분에 알맞은 분수는 $\dfrac{4}{7}$입니다.

사고력 기르기 Step 2 | 88쪽

01 $1\dfrac{4}{8}$
02 $1\dfrac{1}{9}$
03 $\dfrac{11}{12}$
04 $1\dfrac{5}{15}$
05 $\dfrac{19}{25}$
06 $1\dfrac{4}{30}$
07 $\dfrac{37}{42}$
08 $1\dfrac{20}{39}$
09 $4\dfrac{5}{10}$
10 $9\dfrac{10}{20}$
11 12
12 $24\dfrac{25}{50}$
13 3, 7, 11 / 4, 7, 10 / 5, 7, 9 / 6, 7,
8
14 8, 11, 14 / 9, 11, 13 / 10, 11, 12
15 11, 15, 19 / 12, 15, 18 / 13, 15, 17
/ 14, 15, 16

01 $\dfrac{5}{8}$ ♥ $\dfrac{4}{8}$ $=\dfrac{3}{8}+\dfrac{5}{8}+\dfrac{4}{8}=\dfrac{12}{8}=1\dfrac{4}{8}$

02 $\dfrac{2}{9}$ ♥ $\dfrac{5}{9}$ $=\dfrac{3}{9}+\dfrac{2}{9}+\dfrac{5}{9}=\dfrac{10}{9}=1\dfrac{1}{9}$

05 $\dfrac{4}{25}$ ♥ $\dfrac{7}{25}$ $=\dfrac{14}{25}$이므로 $\dfrac{14}{25}$ ♥ $\dfrac{2}{25}=\dfrac{19}{25}$
입니다.

07 $\dfrac{7}{42}$ ♥ $\dfrac{9}{42}$ $=\dfrac{19}{42}$이므로 $\dfrac{15}{42}$ ♥ $\dfrac{19}{42}=\dfrac{37}{42}$
입니다.

09 **1**부터 **9**까지의 합은 $(1+9)\times9\div2=45$이므로
(준식)$=\dfrac{45}{10}=4\dfrac{5}{10}$입니다.

13 $1\dfrac{9}{12}=\dfrac{21}{12}$에서 ♥$+$☆$+$△$=21$이므로
☆$=21\div3=7$입니다.

01 3, 1, 4, 4   02 5, 4, 9, 9, 1
03 2, 3, 5   04 3, 5, 8
05 5, 4, 9, 1, 3   06 7, 8, 15, 1, 4
07 $\dfrac{4}{5}$ 08 $\dfrac{4}{7}$ 09 $\dfrac{9}{10}$
10 $\dfrac{9}{13}$ 11 $1\dfrac{1}{6}$ 12 $1\dfrac{6}{9}$
13 $1\dfrac{4}{12}$ 14 $1\dfrac{2}{15}$
15 7, 9, 1 / 8, 8, 1 / 8, 9, 2 / 9, 9, 3
16 5개   17 19개
18 7개   19 27개
20 3, 5, 7 / 4, 5, 6

15 ♥와 ☆의 합은 16 또는 17 또는 18입니다.

16 10부터 14까지 5개입니다.

17 5부터 23까지 19개입니다.

20 $1\dfrac{7}{8}=\dfrac{15}{8}$에서 ♥+☆+△=15이므로
☆=15÷3=5입니다.
1 2 3 4 ⑤ 6 7 8 9 ……

개념 **12** 분수의 덧셈(2) | 92쪽

01 2, 2, 5, 2, 5, 2   02 3, 6, 7, 6, 7, 6
03 2, 3, 3   04 3, 5, 5
05 2, 3, 3   06 2, 5, 5
07 2, 5, 1, 1, 2, 1   08 3, 7, 1, 2, 3, 2
09 3, 10, 1, 2, 4, 2   10 7, 16, 1, 6, 3, 6
11 $6\dfrac{3}{7}$ 12 $7\dfrac{7}{9}$ 13 $8\dfrac{5}{9}$
14 $5\dfrac{3}{10}$ 15 $2\dfrac{5}{7}$ 16 $1\dfrac{3}{5}$
17 $4\dfrac{2}{10}$ 18 $3\dfrac{1}{9}$ 19 $3\dfrac{7}{8}$
20 $4\dfrac{5}{6}$ 21 $4\dfrac{4}{11}$ 22 $5\dfrac{3}{13}$

01 3   02 13
03 6   04 9
05 5   06 3, 12
07 13   08 16
09 21   10 73
11 24, 25, 26   12 38, 39, 40
13 12, 13, 14   14 16, 17, 18
15 1, 2, 3, 4   16 1, 2, 3, 4, 5
17 1, 11 / 2, 10 / 3, 9 / 4, 8 / 5, 7
18 1, 8 / 2, 7 / 3, 6 / 4, 5

01 $\dfrac{\square}{5}+\dfrac{4}{5}=1\dfrac{2}{5}=\dfrac{7}{5}$이므로 □에 알맞은 수는 3입니다.

11 $\dfrac{5}{27}+\dfrac{♥}{27}=1\dfrac{1}{27}=\dfrac{28}{27}$이므로 ♥는 23보다 크고 27보다 작아야 합니다.

01 27   02 15
03 21   04 37
05 $13\dfrac{4}{5}$ 06 $11\dfrac{6}{7}$ 07 $12\dfrac{6}{8}$
08 $14\dfrac{1}{6}$ 09 $14\dfrac{3}{9}$ 10 $18\dfrac{9}{12}$
11 1, 3, 5 / 2, 3, 4
12 1, 6, 11 / 2, 6, 10 / 3, 6, 9 / 4, 6, 8 / 5, 6, 7
13 8, 11, 14 / 9, 11, 13 / 10, 11, 12

01 △가 14, 13일 때 분모보다 작은 서로 다른 ♥와 ▣는 없으므로 △가 12일 때 ♥와 ▣의 합이 가장 큽니다.

05 $3\dfrac{2}{5}♥\dfrac{1}{5}=8\dfrac{3}{5}$, $8\dfrac{3}{5}♥\dfrac{1}{5}=13\dfrac{4}{5}$

11 $\dfrac{♥}{8}+\dfrac{☆}{8}+\dfrac{▣}{8}=1\dfrac{1}{8}=\dfrac{9}{8}$이므로
☆=9÷3=3입니다.

13 $\dfrac{♥}{15}+\dfrac{☆}{15}+\dfrac{■}{15}=2\dfrac{3}{15}=\dfrac{33}{15}$이므로
$☆=33÷3=11$입니다.

실력 점검  | 98쪽

01 3, 4, 5, 4, 5, 4
02 1, 3, 5, 3, 5, 3
03 2, 4, 4   04 1, 4, 4
05 6, 10, 1, 2, 6, 2
06 4, 12, 1, 3, 3, 3
07 $8\dfrac{3}{10}$ 08 $8\dfrac{7}{11}$ 09 $4\dfrac{2}{3}$
10 $4\dfrac{5}{9}$ 11 $3\dfrac{1}{8}$ 12 $3\dfrac{6}{12}$
13 $4\dfrac{3}{14}$ 14 $4\dfrac{8}{15}$
15 20, 21, 22   16 27, 28, 29
17 11, 12, 13, 14, 15
18 16, 17, 18   19 1, 2, 3, 4, 5
20 1, 2, 3, 4, 5, 6, 7
21 8, 12, 16 / 9, 12, 15 / 10, 12, 14 /
    11, 12, 13

15 $\dfrac{5}{23}+\dfrac{♥}{23}=1\dfrac{1}{23}=\dfrac{24}{23}$이므로 ♥는 19보다
크고 23보다 작아야 합니다.

개념 13 분수의 덧셈⑶ | 100쪽

01 3, 2, 5, 3, 5, 3   02 2, 1, 3, 2, 3, 2
03 3, 1, 5, 4, 5, 4   04 3, 1, 8, 4, 8, 4
05 1, 6, 5, 1, 2, 6, 2
06 2, 4, 5, 1, 2, 6, 2
07 6, 4, 8, 1, 3, 9, 3
08 7, 11, 18, 3, 3   09 8, 5, 13, 4, 1
10 12, 25, 37, 4, 1 11 23, 18, 41, 4, 1
12 $6\dfrac{2}{3}$ 13 $7\dfrac{3}{4}$ 14 $4\dfrac{7}{8}$
15 $6\dfrac{4}{6}$ 16 $6\dfrac{2}{9}$ 17 $7\dfrac{5}{10}$
18 $9\dfrac{4}{7}$ 19 $6\dfrac{6}{9}$ 20 $10\dfrac{2}{8}$
21 $9\dfrac{1}{4}$ 22 $8\dfrac{5}{11}$ 23 $9\dfrac{3}{13}$

사고력 기르기 | Step 1 | 102쪽

01 5, 2   02 3, 3
03 2, 4   04 4, 5
05 4, 2   06 3, 2
07 6, 2, 1 / 5, 3, 1 / 4, 3, 2
08 7, 2, 1 / 6, 3, 1 / 5, 4, 1 / 5, 3, 2
09 7, 6, 3 / 7, 5, 4
10 6   11 7
12 10   13 15
14 6, 1, 4 / 5, 2, 4 / 4, 3, 4
15 8, 1, 3 / 7, 2, 3 / 6, 3, 3 / 5, 4, 3

07 ♥+☆+▲=9입니다.

09 ♥+☆+▲=16입니다.

10 ♥=(13+5)÷3=6입니다.

12 ♥=(28+2)÷3=10입니다.

01 $49\dfrac{1}{2}$ 02 228

03 $422\dfrac{4}{8}$ 04 $49\dfrac{5}{10}$

05 1, 3, 5, 6 / 2, 3, 4, 6
06 1, 7, 13, 9 / 2, 7, 12, 9 / 3, 7, 11,
    9 / 4, 7, 10, 9 / 6, 7, 8, 9
07 4, 2, 8, 5, 3, 8, 9, 5, 8 / 4, 3, 8,
    5, 2, 8, 9, 5, 8
08 2, 3, 9, 6, 4, 9, 8, 7, 9 / 2, 4, 9,
    6, 3, 9, 8, 7, 9 / 3, 2, 9, 4, 6, 9,
    7, 8, 9 / 4, 2, 9, 3, 6, 9, 7, 8, 9
09 112   10 180

01 자연수 부분의 합 : 45,

    진분수 부분의 합 : $\dfrac{9}{2}=4\dfrac{1}{2}$이므로

    $45+4\dfrac{1}{2}=49\dfrac{1}{2}$입니다.

02 자연수 부분의 합 : $15\times15=225$,

    진분수 부분의 합 : $\dfrac{15}{5}=3$이므로

    $225+3=228$입니다.

03 자연수 부분의 합 : $20\times21=420$,

    진분수 부분의 합 : $\dfrac{20}{8}=2\dfrac{4}{8}$이므로

    $420+2\dfrac{4}{8}=422\dfrac{4}{8}$입니다.

04 자연수 부분의 합 : 45,

    진분수 부분의 합 : $\dfrac{45}{10}=4\dfrac{5}{10}$이므로

    $45+4\dfrac{5}{10}=49\dfrac{5}{10}$입니다.

05 ♥+☆+△=9이고 모양끼리의 차가 같으므
    로 ☆=9÷3=3입니다.

06 ♥+☆+△=21이고 모양끼리의 차가 같으므
    로 ☆=21÷3=7입니다.

09 $1\dfrac{1}{15}+14\dfrac{14}{15}=16$, $2\dfrac{2}{15}+13\dfrac{13}{15}=16$, ……
    이고 모두 7쌍이므로 16×7=112입니다.

10 20×9=180

01 1, 3, 3, 4, 3, 4
02 3, 3, 5, 1, 1, 6, 1
03 10, 13, 23, 2, 5
04 14, 8, 22, 4, 2
05 $3\dfrac{2}{4}$ 06 $5\dfrac{4}{6}$ 07 $5\dfrac{3}{7}$
08 $7\dfrac{5}{8}$ 09 $9\dfrac{4}{10}$ 10 $6\dfrac{9}{11}$
11 $6\dfrac{2}{9}$ 12 $7\dfrac{5}{8}$ 13 $6\dfrac{6}{11}$
14 $5\dfrac{8}{15}$ 15 $10\dfrac{5}{8}$ 16 $6\dfrac{4}{14}$
17 20   18 25
19 7, 1, 4 / 6, 2, 4 / 5, 3, 4
20 84   21 144

20 14×6=84

21 18×8=144